De Olieramp

Jacob Starreveld

DE OLIERAMP

ROMAN

Uitgeverij Aspekt

© Namen, karakters, bedrijven, plaatsen, handelingen en gebeurtenissen in deze vertelling zijn gebaseerd op een mogelijke werkelijkheid, maar als producten van de verbeelding van de auteur fictief, met uitzondering van topografische namen en die van de Maxima, de Mikke en de Zeester. Elke mogelijke gelijkenis met actuele personen berust op toeval of eigen toeschrijving van de lezer

DE OLIERAMP

© Jacob Starreveld

© 2014 Uitgeverij ASPEKT

Amersfoortsestraat 27, 3769 AD Soesterberg, Nederland

info@uitgeverijaspekt.nl – http://www.uitgeverijaspekt.nl

Omslagfoto: Reporters/AP/S.Grits

Omslagontwerp: Mark Heuveling

Binnenwerk: Thomas Wunderink

ISBN: 9789461534811

NUR: 300

De Olieramp

Even wankelt Mark Verburg als hij opstaat om naar het podium te lopen. Het wordt hem zwart voor de ogen. Het duurt maar even. Dan loopt hij door. Hij kan niet terug nu. Hij beklimt het podiumtrapje. De directeur van de school wacht hem met uitgestoken hand op. Mark voelt de zweetdruppels langs zijn rug tot in zijn bilnaad lopen. Hij kijkt de zaal in. De aula is afgeladen, er wordt geklapt. Mark ziet hoofden, geen mensen. Op één na. Een meisje met een wit hoofddoekje dat hem toelacht: Donya. Mark hoort hoe de directeur het woord geeft aan burgemeester Zieneman van Middelburg, die ook op het podium staat. Een rijzige gestalte met een kaal hoofd, dat glimt onder de lampen boven het podium. Terwijl de burgemeester hem uitbundig begint te prijzen houdt Mark zijn ogen strak gericht op de achterwand van de zaal. Daar hangt een groot scherm met de titel van de film die zo dadelijk zal worden vertoond: 'De Olieramp'. Het is zíjn film. De film over de olieramp die de stranden van Walcheren heeft getroffen. Waarin hij geheel onverwacht de hoofdrol speelt. Hij staart naar het scherm. Wat is er ook al weer gebeurd in de afgelopen maanden? Hoe is het in zijn werk gegaan? Waar is het begonnen? Wat was precies zijn rol?

1

Een ontmoeting

Het begint op de veerboot van het Zeeuwse Breskens naar Vlissingen. Mark Verburg hangt naast zijn vriend en klasgenoot Peter den Hoed over de railing van de Prinses Maxima, de draagvleugelboot die de veerdienst onderhoudt. Ze zijn met hun zesde klas van het Middelburgse Walchria op excursie voor een schoolproject over het leven in de zee. In Breskens hebben ze de visveiling bezocht. Honderden witte plastic kistjes met dode vissen, half dode krabben en andere schaaldieren in rijen naast elkaar. Kleine visjes in gruizig ijs, grote vissen met open bekken en glazen ogen, grote kreeften met dichtgebonden scharen, en dikke palingen die in hun slijm kronkelen. Een glibberige vloer, waarop mannen in witte plastic schorten en gele rubberen laarzen gehaast heen en weer glijden. Ja, er is leven in de zee, zeker, maar daar in die veilinghal is de dood de baas. De snelle veerboot stuift door het water van de Westerschelde. Peter zit op de railing en gooit stukjes brood omhoog. De meevliegende meeuwen duiken omlaag om het brood op te pikken voordat het in het water terecht komt. Peter is zwaar gebouwd, om niet te zeggen dik, en kan met zijn logge lijf met moeite zijn evenwicht bewaren op de smalle rand van de railing. Mark moet erom lachen en komt hem te hulp. Mark is een stuk groter; hij gaat naast Peter staan en houdt met zijn lange arm het brood hoog op. Een grote zilvermeeuw scheert krijsend langs en pikt het stukje op, met een trefzekere houw van de gele snavel, die in een scherpe punt uitloopt. Telkens als het een volgende meeuw ook lukt, klinkt er gejuich vanuit het gangpad van de boot waar de rest van de klas staat toe te kijken. Marks lange haren wapperen in de wind, het zout van het opspattend Scheldewater prikt op zijn lippen. De Prinses Maxima maakt een wijde boog om een groot zeeschip te ontwijken, dat opgeladen is met rode containers, als grote legoblokken op elkaar gestapeld. De veerboot mindert vaart om de haven van Vlissingen in te varen. Het is nevelig op het water met af en toe dikke slierten mist. Even voor de lange pieren van de haven glijdt de Maxima door een dikke laag olie. In de donkere brei drijven een paar vogels, nou ja vogels. het zijn zwarte hoopjes veren, overdekt met teer. De olielucht hangt zwaar over het water.

'Olievogels!' stelt Peter vast. Op zijn sproetige gezicht verschijnt een vieze grimas. 'Wel een stuk of vijf.' De vogels worden meegezogen in het kielzog, dat door de olie in vele kleuren opschuimt. Dan verdwijnen ze achter de boot. Maar er blijft één vogel achter. Het is een eidereend die zich fladderend uit de stroperige massa probeert te verheffen. Het dier spartelt een metertje vooruit en zakt dan weer terug in de kleverige smurrie. 'Geen schijn van kans,' zegt Mark. 'Plakt als kauwgom, die olie.'

De veerboot glijdt uit de olieplas. Er priemen wat bleke zonnestralen door de nevel en er strijkt plots een frisse bries over het water. Mark huivert even in zijn zwarte vliegeniersjack en zet zijn kraag op. De boeg van de Maxima zakt in het water en de boot glijdt langzaam de haven in. De beide jongens volgen hun klas door het gangpad naar de loopplank. Mark een beetje slungelig, met grote stappen, passend bij zijn gestalte. Peter waggelend, als een beer. Zijn rosse krullen waggelen mee. Mark draagt zijn haren tot op zijn schouders. Reden voor steeds terugkerende uitnodigingen van zijn moeder om naar de kapper te gaan. Een uitnodiging die hij even vaak weer afwijst. Geen tijd en geen zin. Hij beperkt het kappersbezoek tot het uiterste en laat het dan stekeltjeskort knippen zodat hij er een tijdje tegen kan. Dat korte haar geeft dan thuis weer net zoveel opmerkingen als het lange. Hij is eraan gewend.

'Wat doe jij vanavond, Mark?' vraagt Peter. En zonder het antwoord af te wachten: 'Ik heb er geen moer zin om weer de hele avond aan dat vervelende project te werken. Zullen we uitgaan?' Mark schudt zijn hoofd. 'Het moet deze week klaar zijn,' antwoordt hij kortaf. 'Zin of geen zin. Het telt mee voor de eindlijst.'

Vanuit de mist op de Schelde komt een dof stampend geluid snel dichterbij. Uit de nevel duiken twee vissersboten op, die op volle kracht langs de Maxima scheren. De vissers hebben duidelijk haast om naar zee te komen. Snel naar buiten om een paar dagen te vissen en dan weer haastig naar de visafslag. De boten zijn zo groot en zo duur geworden dat er veel vis in weinig tijd gevangen moet worden om een boterham te kunnen verdienen.

De veerboot meert aan. Mark en Peter lopen de steiger op. Voor hen hompelt een man met een gipsen voet in een ijzeren beugel. Hij wordt ondersteund door een meisje in een vaalblauwe spijkerbroek met rode gymschoenen. Ze draagt een wit hoofddoekje, waaruit een bruine lok piept. In het voorbijgaan vangt Mark haar blik even op, maar ze wendt haar hoofd snel af. Misschien omdat ze even is afgeleid verslapt haar greep om het middel van de man en hij struikelt. Mark schiet snel toe om het meisje te helpen hem te ondersteunen. De man mompelt een bedankje in de richting van Mark. Het meisje kijkt hem een beetje verlegen aan.

Naast de steiger klotst zwart water tegen de kademuur. In de olieplas drijven een paar plastic flessen, stukken hout en een paar half vergane sinaasappels. Daartussen ligt een grote donkere vogel. De kop hangt opzij, de zwarte poten bungelen naast het met olie besmeurde lijf. Het trieste beeld trekt Marks aandacht. Hij richt zijn mobiel en maakt een foto. 'Dode aalscholver,' mompelt Peter, die achter hem staat. 'We treffen het wel vandaag, met al die dodo's.' Het klinkt cynisch. Mark kijkt hem vragend aan. 'Dodo's? Waar heb je het over?'

'Grapje,' zegt Peter, 'weet je nog Mark? Uit de biologietest van vorige week. Dodo's, uitgestorven oervogels waar Darwin zijn evolutietheorie op bouwde.' Natuurlijk weet Mark dat, hij is de beste van zijn klas als het om biologie gaat, maar de verbinding met die dode olievogel was niet bij hem opgekomen. Hij maakt een wegvegend gebaar. 'Dodo heeft niets te maken met dood, beste jongen, dat heb je dan niet goed begrepen.' Peter laat het er bij; hij weet, Mark is nu eenmaal geen grapjas, altijd bloedserieus. Intussen is de rest van de klas naar de bus gelopen die hen naar Middelburg zal brengen. De grijze man met de hompelvoet en het meisje staan op de stadsbus te wachten. Als Mark langs loopt doet zij een stap naar voren. 'Nog bedankt hoor,' zegt ze zacht. 'Mijn vader ging bijna onderuit op die stijger.'

'Oké,' reageert Mark, 'het lijkt mij ook lastig lopen zo.' Hij werpt een blik op het gips. Als hij opkijkt kruisen hun blikken elkaar. Hij kijkt in een paar donkere ogen achter ronde brillenglazen in een mooi gevormd gezicht, omlijst door een hagelwit hoofddoekje. 'Mijn vader heeft vorige week een ongeluk gehad op de werf,' zegt het meisje. Ze gebaart naar de grote scheepshal aan de overkant van de veerhaven. Hun ogen hechten zich even aan elkaar. Er valt een stilte. Mark twijfelt of hij nu nog iets tegen haar moet zeggen. Maar de woorden komen niet. 'Hoor je bij die groep?' verbreekt het meisje de stilte. 'Ja. Dat is mijn klas van Walchria,' antwoordt Mark. 'Scholengemeenschap Middelburg,' verduidelijkt hij. Het blijft weer even stil. Mark staat er wat ongemakkelijk bij, half naar de schoolbus gekeerd, waar de chauffeur ongeduldig naar hem wenkt. 'Ik zit hier in Vlissingen op school,' zegt het meisje. 'Ik heb een vriendin op het Walchria. Janka Lievense. Misschien ken je haar?' Mark schudt ontkennend zijn hoofd. Dat zegt niet zoveel, want Mark kent nauwelijks meisjes van school, Eigenlijk alleen die van zijn klas. Achter hem klinkt geroep. Hij moet de bus in.

'Marokko?' zegt Peter vragend als Mark zijn lange lijf naast hem in de bus laat zakken. 'Weet ik niet,' is Marks korte antwoord. Hij kijkt naar buiten waar de Prinses Maxima passagiers voor de terugtocht inlaadt. Het is lawaaiig in de bus. Zoals altijd op schoolreisjes. Mark moet er niet veel van hebben. Hij houdt zich graag wat afzijdig. Het is nog een wonder dat hij het zo goed met Peter kan vinden, die graag de drukte opzoekt. Maar op de een of andere manier klikt het tussen hen. Ze werken ook meestal samen. Zoals nu bij het klassenproject over het leven in de zee. Dat houdt in dat ze de relaties moeten zoeken tussen het voedselaanbod in de Noordzee en de aanwezigheid van bepaalde soorten vogels, vissen, en andere zeedieren. Vandaag was de laatste dag van informatie verzamelen, nu nog de verschillende groepswerkstukken samenvoegen in een verslag. Dan zijn ze klaar en wacht alleen nog het eindexamen. Als de bus voor het schoolgebouw in Middelburg stopt vraagt Peter opnieuw: 'Mark, wat gaan we nu doen vanavond?'

'Dat heb ik toch al gezegd. Aan mijn verslag werken,' antwoordt Mark. Hij kijkt peinzend voor zich uit en zegt dan: 'Ken jij toevallig op onze school een meisje dat Janka heet? Janka Lievense?'

'Nooit van gehoord. Hoezo?'

'Zomaar.'

'Kom nou. Jij vraagt nooit iets zomaar. Heet dat Marokkaanse meisje soms zo?' Mark schudt zijn hoofd. 'Ik heb je al gezegd dat ik niet weet of ze uit Marokko komt,' zegt hij korzelig. 'En zij zit niet op onze school. Maar, laat maar.' Met een afwerend gebaar loopt hij de school in. Voor het werken aan hun project is een apart lokaal ingericht. Bij de deur staat een kleine man met een kaal hoofd en een puntbaardje te wachten. Het is hun biologiedocent Jan Joustra, die het project begeleidt. 'De tuinkabouter waakt over ons,' sneert Peter zachtjes. Jan Joustra dankt zijn bijnaam niet alleen aan zijn puntbaard en ronde buikje. Hij heeft in zijn lessen ook een duidelijke liefde voor de plantenwereld en in het bijzonder voor paddenstoelen. Dan is de bijnaam niet meer ver weg. Voor het zeeproject is de klas in groepen verdeeld. Mark vormt met Peter en Annette Vermaat een schrijfgroepje dat tot taak heeft om de verschillende werkstukken van de andere groepen te verzamelen en daarvan een eindverslag te maken. Geen gemakkelijke klus om van die uiteenlopende onderzoekjes nog een beetje een eenheid te maken.

Mark schuift achter een pc-scherm. Hij zet de foto van de olievogel uit de haven van zijn mobiel over op zijn pc. Terwijl hij ernaar staart, gaan zijn gedachten naar de ontmoeting met het meisje bij de bushalte. Hij is meestal niet zo gevoelig voor de indruk van meisjes. Maar op de een of andere manier intrigeert zij hem. Hij heeft er spijt van dat hij haar naam niet heeft gevraagd. Hij is zo in gedachten verzonken dat hij niet merkt dat Annette Vermaat is binnengekomen en over zijn schouder meekijkt. Hij merkt het pas als hij twee handen op zijn schouders voelt en een zware parfumgeur zijn neus bereikt. Annette woont in Domburg en het lijkt wel alsof de artistieke sfeer van dat stadje haar ook geraakt heeft. Ze ontwerpt haar kleren zelf en dat is goed te zien. Vaak heel buitenissig met veel slierten en franje. En altijd dat parfum... 'Maak je dat spul ook zelf?' had Mark haar wel eens treiterig gevraagd. Met als antwoord een ongenaakbare blik van haar grijze ogen. Ze knijpt Mark in zijn schouders. 'Mark Verburg, je zit te suffen. Je moet een beetje opschieten. Ik heb je verslag van het bezoek aan de visafslag nodig,' zegt ze. 'Anders kan ik niet verder met het eindrapport.' Mark maakt zich los van zijn gedachten aan het meisje bij de veerboot. 'Ik doe mijn best', antwoordt hij.

Hij werkt zich onder Annettes handen uit. 'Zeg, ken jij soms een Janka Lievense?' vraagt hij. 'Ja,' klinkt het direct, 'een vriendin van mij. En als jij een beetje meer om je heen zou kijken had je haar ook gekend. Ze zit in klas 6c en ze speelt net als ik in de schoolband. Zij speelt fantastisch viool.'

'Oké, oké,' mompelt Mark. Hij komt nooit op avondjes waar de schoolband speelt. 'Heb jij haar telefoonnummer?' Het komt er schuchter uit. Te schuchter voor Marks doen. Hij is altijd heel direct en lijkt dan zelfverzekerd. Maar die stoerheid moet behoorlijk wat onzekerheid verbergen. Annette voelt iets van die verandering in zijn houding en is meteen op haar hoede. Mark die haar om een telefoonnummer van een meisje vraagt? 'Waarom wil je dat hebben?' vraagt ze argwanend. Mark kleurt. Dat maakt Annette aan het lachen, zo heeft ze Mark nog nooit gezien. 'O zit dat zo?' Er verschijnt een grijns op haar gezicht. Maar ze vraagt niet verder, pakt haar mobieltje en zoekt het nummer. 'Moet ik soms even voor je bellen?' vraagt ze pesterig. Mark doet alsof hij het niet hoort en schrijft het nummer in zijn handpalm. Hij draait zich weer om naar zijn computerscherm en probeert zo onverstoorbaar mogelijk te lijken. 'Nog een klein uurtje, dan heb ik het verslag af.' Hij wil haar weg hebben. 'Ik mail het wel aan je.' Zodra Annette het lokaal uit is, belt Mark het nummer van Janka Lievense. Ze neemt niet op. Hij stuurt een sms'je of ze hem terug wil bellen. Dan blijft zijn blik lang rusten op de foto van de dode vogel uit de olieplas, die hij nu ook onwillekeurig 'Dodo' noemt. Hij wil daar op de een of andere manier iets mee doen in het project, al weet hij nog niet wat en hoe. De dood in de zee als tegenstelling tot het zeeleven? Maar hoe doe je dat? Hoe verwerk je zoiets op het laatste moment nog in hun schoolverslag? Dit gaat immers niet meer over leuke dingen als voedsel en leven in de zee, maar over niets minder dan moord op grote schaal. Oliemoord, kun je wel zeggen. Hoe kan hij daarmee in de groep aankomen en bij die ongemakkelijke Jan Joustra, met wie hij toch al zo vaak overhoop ligt?

Later op de middag belt Janka Lievense hem terug. Mark legt haar de situatie uit. Maar Janka wil hem het telefoonnummer van haar vriendin niet geven. Ze doet er geheimzinnig over. Als Mark blijft aandringen zegt ze dat ze het eerst aan Donya zelf wil vragen. 'Donya?' vraagt Mark. 'Ja, zo heet ze. Dat is haar voornaam,' zegt Janka. 'Meer kan ik je niet zeggen. Je moet een beetje geduld hebben. Als je tenminste echt in haar geïnteresseerd bent.' Dat woord blijft bij Mark hangen, het klinkt ontzettend zakelijk. Maar als hij er over nadenkt, komt hij tot de conclusie dat het precies zegt wat er aan de hand is. Hij is 'geïnteresseerd' in het meisje. Hij kan zich niet van die ontmoeting bij de veerboot losmaken, ziet haar gezicht steeds voor zich. Hij probeert wel op zijn computer verder te werken aan het project, maar hij heeft zijn hoofd er niet bij. Er vallen hem flauwe grappen in. Dat heeft hij vaker als hij zijn gedachten ergens niet bij kan houden, of opdrachten te stomp-zinnig vindt. Zoals de vraag naar het onderscheid tus-sen een zeehond en een vis, een van de opgaven in het project. Hij tikt: *een zeehond eet wel platvis, maar een platvis eet geen zeehond.* Waarna hij die zin ook weer meteen wist. Te flauw. Zijn gedachten willen steeds naar het meisje. Waarom zou Janka haar afschermen? Want dat is toch wat ze doet. Waarom die geheimzin-nigheid? Als Annette na een uur komt informeren waar het verslag toch blijft, besluit Mark haar in vertrouwen te nemen. Hij heeft een goede relatie met haar en durft het wel aan om haar nog wat vragen over die geheim-zinnige vriendin te stellen. Annette hoort hem aan met een twinkeling in haar ogen, die een beetje loensen, waardoor je niet altijd weet of ze jou aankijkt of een ander. Ze vraagt Mark niet uit, ze begrijpt zijn situatie en wil niet moeilijk doen. 'Het is niets voor Janka om zo geheimzinnig te doen,' zegt ze. 'Dan moet er iets bijzonders aan de hand zijn.' Ze kijkt Mark met haar twee uiteenwijkende ogen vragend aan. 'Misschien kan ik je helpen. Hoe ziet dat bootmeisje van jou er uit?'

'Net zo groot als jij, een wit hoofddoekje, bruin haar, bruine ogen en een bril. Een rode bril met van die glinstertjes aan de zijkant.' Annette heeft niet veel meer informatie nodig. 'Dat moet Donya Farimi zijn. Kan niet missen.'

'Vreemde naam.'

'Ik geloof dat ze uit Iran komt.'

'Weet je waar ze woont?'

'Aan de overkant, ik dacht in Terneuzen.'

'Ken je haar?'

'Wat is kennen? Niet goed.' Annette haalt haar schouders op. 'Ze komt een enkele keer op vrijdag met Janka Lievense mee naar dansen. Daarna gaan we vaak nog even met de hele groep een uurtje de stad in. Maar dan gaat zij niet mee. Ze moet op tijd de boot halen.' Er verschijnen pretlichtjes in Annettes ogen. 'Maar Mark, doe niet zo ingewikkeld, kom gewoon zelf een keer langs op dansen. Misschien vind je het wel leuk, en we hebben altijd jongens te weinig.' Mark gruwt van de gedachte dat hij moet dansen. Janka ziet zijn gezicht verstrakken en schiet in de lach. 'Dan niet, je ziet zelf maar.' Ze wil zich omdraaien, maar haar blik wordt naar de foto op Marks computer getrokken. 'Die vogel lag in een olieplas bij de veerboot,' verklaart Mark. 'Er drijven meer van die olievogels in de Schelde,' zegt hij. 'We hebben er wel een stuk of vijf gezien, in een dikke laag olie.'

'Een olievogel. Dat moet je melden bij de Mikke,' zegt Annette. 'Daar komen vaker olievogels binnen om schoon te maken.' Mark draait zich naar haar om.

'De Mikke? Wat is dat?'

'Een vogelopvangcentrum. Hier in Middelburg. Vlak bij onze school. Dat je dat niet weet! Jij bent toch onze prof in de biologie!' Mark negeert het schampere in Annettes opmerking. 'Ik wil daar wel eens gaan kijken,' zegt hij. 'Misschien kunnen we dat nog meenemen in ons project.'

'Wat wil je dan daarmee?'

'Dat weet ik nog niet precies. Maar die dode vogels zetten mij aan het denken. Misschien een apart hoofdstuk in ons project.'

'Daar ben je wel laat mee, we zijn al met het eindverslag bezig. Daar zal onze JJ niet blij mee zijn.' Annette werpt een snelle blik in de richting van Jan Joustra, die aan zijn leraarstafeltje in het belendende biologielokaal zit te werken. 'Ik durf er bij hem niet over te beginnen,' zegt Mark. 'Hij hamert er nu al steeds op dat we het tijdschema van ons project moeten halen.' Hij kijkt naar de dode vogel op zijn computerscherm. 'Dat beeld laat me niet los. Als ik JJ nu ga zeggen dat ik een nieuw onderdeel aan ons project wil toevoegen en daarom naar een vogelopvangcentrum ga, dan zal hij meteen zeggen dat ik weer eens eigenwijs wil zijn.'

'Maar, Mark, dat bén je dan toch ook,' zegt Annette.

Annette heeft natuurlijk volkomen gelijk. Hij loopt met zijn idee dwars door het project heen. Als hij een goede relatie met Jan Joustra zou hebben zou hij er met hem over kunnen praten. Maar de relatie tussen hem en de docent is nu eenmaal niet best. Het is op het randje van conflict. Niet uitgesproken, maar onderhuids. Zoals bij mensen die elkaar niet liggen. Mark is overigens niet de enige in de klas. Er zijn er meer die een moeizame relatie met Jan Joustra hebben. Hij heeft vaak scherp commentaar op het gedrag van iemand en kan dan heel kwetsend overkomen, zonder dat hij zelf door heeft hoe hard dat aankomt. Mark is dat al zo vaak overkomen dat hij afstand van hem houdt en alleen het hoogst noodzakelijke met hem wil doen. Maar tegelijkertijd is hij verreweg de beste biologieleerling en dat weet Jan Joustra natuurlijk ook. Dat compliceert hun verhouding nog eens extra.

Annette ziet Marks twijfel. 'Hoe zwaar ligt dat voor jou?' vraagt ze. 'Kijk zelf maar,' antwoordt Mark. 'Dit heb ik net van het internet gehaald.' Hij laat Annette een vers nieuwsbericht zien, waarin melding wordt gemaakt van een groot aantal olieslachtoffers als gevolg van een olieplas op zee. 'De vogels die wij gezien hebben zijn waarschijnlijk pas het begin.' Annette denkt even na. 'Laat mij maar even,' zegt ze en ze ruist in haar wijdvallende lichtblauwe jurk naar het andere lokaal. Door het raam ziet Mark haar praten en gebaren met Jan Joustra. Ze gaan samen voor een computerscherm zitten. Mark verwondert zich erover hoe gemakkelijk Annette het gesprek met Jan Joustra aangaat. Als ze weer terugkomt bij Mark steekt ze haar duim omhoog. 'J.J. is akkoord. Maar het mag het project niet vertragen.'

Het opvangcentrum De Mikke ligt niet ver van de school in een Middelburgs park. Het centrum heeft een aantal hokken en vijvers voor zieke en opknappende vogels. Het is een soort vogelziekenhuis met revalidatie. Sommige vogels zien er heel beroerd uit; wonden aan hun poten, kale plekken op hun lijf, kapotte vlerken, gebroken snavels. Het gevolg van ongelukken: aangereden door auto's, verstrikt in nylon vissnoeren en resten van netten, tegen ramen aangevlogen of verzwakt door honger en ziekte. Er zijn ook olieslachtoffers. In een ondiep vijvertje zitten een paar donkerbruine eenden roerloos voor zich uit te staren. De vleugels hangen slap opzij. De verzorgster legt uit dat de olieslachtoffers er meestal slecht aan toe zijn. De olie op het water tast de vetlaag van de veren aan en de vogels kunnen zich dan niet schoonmaken. Als ze dat doen krijgen ze via de snavel chemicaliën binnen die hun slokdarm en ingewanden verbranden. Op hun vel ontstaan kale plekken waar het koude water doordringt. Ze worden ziek, krijgen lamme vleugels en kunnen niets meer. In die toestand worden ze door de golven naar de kant gespoeld. Als ze al levend op het strand aankomen, en tijdig worden gevonden, hebben ze een kans te overleven. Als ze tenminste snel gereinigd kunnen worden.

'Wat doen jullie met ze?' vraagt Annette.

'Wassen. Heel voorzichtig, met zeepsop dat de olie oplost,' antwoordt de verzorgster. 'Maar het kan lang duren voordat ze een beetje bijtrekken, en je hoopt dat ze zich dan daarna weer kunnen redden. Maar dat is helaas niet altijd zo.' Ze wijst op een bruine eend die met uitgestrekte vleugels scheefgezakt op de grond ligt. 'Deze hebben wij nu een week in behandeling. Maar zij ziet niets en eet ook niet meer. Dat is het begin van het einde.'

Mark vertelt haar van de olievogels op de Schelde. Het blijkt geen nieuw bericht voor de verzorgster. Er zijn inmiddels al meer waarnemingen bij de Mikke binnengekomen. 'Maar we hebben nog geen slachtoffers binnengekregen,' zegt ze. 'We zijn er wel op voorbereid. Als je er een paar bij elkaar ziet zijn er meestal nog veel meer. Die olieplassen zijn vaak in grote stukken gebroken en drijven heen en weer onder invloed van getij en wind. Als de vogels in zo'n olieveld terecht komen drijven ze mee. En als de wind naar de kust waait komen ze op het strand. Soms een paar, maar ook wel eens tientallen tegelijk.' De verzorgster wijst op de zieke eend in het vijvertje. 'Die is slachtoffer van paraffine, ook een soort olie, kleverig en giftig. Maar dat is maar één vorm van vergiftiging. Er komt van alles in zee terecht. Olielozingen van schepen of booreilanden. Soms door ongelukken. Maar ook door lekken van pijpleidingen onder zee, of van schepen als ze de ruimen schoonmaken met giftige middelen. Er vallen ook wel eens containers met giftige inhoud van vrachtschepen. Als die breken is het leed niet te overzien.'

'Maar wordt er dan niet goed gecontroleerd?' vraagt Mark. 'Er zijn toch veiligheidsnormen?'

De verzorgster knijpt haar lippen samen. 'Het is net als in het verkeer. Er blijven ongelukken. En op zee zijn die dan vaak meteen ook een catastrofe voor de zeebewoners: de schelpdieren, de vissen, de vogels, de zeehonden.'

2

Olie op het strand

De vrees van de verzorgster van de Mikke wordt de volgende dag al bewaarheid. Het is groot nieuws op de regionale en landelijke televisie. De olieplas op de Schelde is een deel van een omvangrijk olieveld, dat in stukken is gebroken en in grote plakken op zee drijft. Jan Joustra heeft de projectgroep bij elkaar geroepen en doet verslag van het nieuws. Het komt erop neer dat de olie met een strakke wind van zee de Schelde indrijft, naar de kust van Walcheren.

Jan zijn baardje piekt scherp naar voren. Hij trekt er nerveus aan. Dat doet hij altijd als hij zich ongemakkelijk voelt, zoals wanneer hij bij discussies in de klas in het nauw wordt gebracht. Vooral Mark heeft er een handje van hem scherp aan te pakken en dat verklaart veel van de wrijving die er tussen hen bestaat.

'Hoe snel gaat dat indrijven van die olie?' wil Annette weten.

'Snel, maar hoe snel weet niemand,' antwoordt Jan Joustra. 'Een paar uur, een dag, niet veel meer. Hangt af van de wind en van de kracht van de vloed.'

Mark ziet weer de vogel voor zich die hij heeft gefotografeerd. Nu hij ze op de Schelde gezien heeft, en gisteren in de vogelopvang, is het een schrikbeeld voor hem: zieltogende olievogels.

'Er is groot alarm gegeven,' gaat Jan Joustra verder. 'Er zijn oliebestrijdingsboten ingezet. Met alle macht wordt geprobeerd die olievlekken van de kust te houden, maar de wind staat niet goed en het opkomend water kan de olie snel naar de kant stuwen.'

'Hoe kun je zo'n vlek tegenhouden?' vraagt Peter en hij grapt: 'Ze kunnen hem toch moeilijk oplikken. Heb je heel wat tongen voor nodig en stevige magen.'

De spotziekte van Peter is bekend, maar dit grapje valt niet goed. Mark kent Peter. Hij weet dat hij dat juist doet als hij ergens niet goed raad mee weet. Grapjes als wapen om narigheid te verwerken. Peter voelt de prangende blikken in zijn richting, hij verbergt zijn gezicht verontschuldigend tussen zijn handen. 'Kouwe kikker!' sist Annette, met een vernietigende blik in zijn richting. Intussen heeft Suzan Smits met haar mobiel contact met haar vader gezocht. Die werkt op een loodsboot, waarmee zeeschepen van zee naar de havens worden begeleid. Hij is ook ingeschakeld bij de bestrijding van de olieramp. Suzan is opgewonden. Zij staat nu even in het middelpunt. Dat overkomt haar niet vaak. Als je het grote nieuws uit de eerste hand hebt, maakt je dat behoorlijk belangrijk. Ze heeft blosjes op haar wangen, haar altijd al hoge stem klinkt nu schril en slaat af en toe over. Ze legt uit dat er wordt geprobeerd om grote drijvende opblaasringen rond de vlekken te leggen. Daarna kan de olie opgezogen worden door speciale bestrijdingsboten. Maar dat zal niet goed lukken als er teveel vlekken over een groot oppervlak zijn verspreid.

De tv in het klaslokaal toont filmbeelden uit een helikopter die laag over zee vliegt. Er drijven donkere plakken olie, vlak bij de kust. Een woordvoerder van Rijkswaterstaat legt uit dat het een zware oliesoort is, die slecht afbreekbaar is. De bestrijding zal daarom moeilijk zijn. Op de persconferentie vraagt een journalist naar de oorzaak van de ramp. Hij krijgt als antwoord dat er een aanvaring is geweest tussen een vrachtboot en een olietanker. Door een gat in de wand van de tanker vloeit olie in zee. Een deskundige legt uit dat de Scheldemonding een risicovolle plek is waar dag en nacht vele schepen langs elkaar moeten manoeuvreren. Dat brengt risico's met zich mee. De tv-beelden laten zien dat er niet veel ruimte meer is tussen de olievlek en het strand. 'Het is net een rampenfilm,' waagt Peter weer, als begin van een grap. 'We wachten op de botsing tussen zee en strand.'

Maar niemand vindt het leuk.

'Dit wordt een milieuramp zoals we in ons land nog nooit hebben meegemaakt,' zegt Jan Joustra zacht voor zich uit.

Het woord milieuramp blijft in de klas hangen. Iedereen heeft daar zo zijn gedachten bij. Meestal gebeurt dat in een ander land, ver weg. Dat heeft iedereen wel eens gezien, op tv of in de krant. Kilometers lang vervuild strand, bedekt met dikke zwarte olie, waggelende vogels die zich door de vette drab heen slepen en er in wegzakken. Creperen, een beter woord is er niet voor. Mensen die met schepjes en emmers de smeerboel van de rotsen afkrabben. Graafmachines die oliezand afschrapen en op grote bruine hopen storten, die door vrachtwagens worden afgevoerd. Sombere gezichten van vissers en biologen die vrezen voor het leven in de zee. Boze bewoners en toeristen die hun gal spugen op de veroorzakers van de olieramp.

De stilte in de klas wordt verbroken door het geluid van klossende houten schoenen op de stenen van de gang naast het biologielokaal. Een jonge vrouw komt de klas binnenlopen. Het is Geke van der Wal die als pas afgestudeerde biologe een stage loopt op het Walchria om docent te worden. Ze heeft haar blonde haar in een paardenstaart gebonden die op en neer wipt onder haar driftige passen. Ze stapt het lokaal binnen en blijft bij de tv staan.

'Wat denk jij van de situatie?' vraagt Jan Joustra haar.

'Het ziet er niet goed uit,' antwoordt Geke. 'Ik heb daarnet nog even gegoogeld. Er zijn eerder van dit soort rampen geweest. In Frankrijk bijvoorbeeld. Voor de kust van Bretagne liep de Amoco Cadiz, een olietanker, op een klip en brak in twee stukken. Over kilometers werd de kust bedekt met een dikke laag olie. Het heeft jaren gekost om de boel weer schoon te maken en het zeeleven wat te herstellen. Men schat dat er wel 20.000 vogels in de olie zijn omgekomen. In Alaska heeft een grote ramp plaatsgehad toen de supertanker Exon Valdez door een stuurfout op een rif klapte. Daar zijn duizenden vogels en zeehonden door de olie gedood. Je kunt je die getallen niet eens voorstellen. En nog maar kort geleden is voor de kust van Amerika een olieboring van BP op een gigantische milieuramp uitgelopen. En nu zij wij blijkbaar aan de beurt.'

'Wat denk je, wat staat ons in Walcheren te wachten?' vraagt Jan Joustra. 'Het ziet er echt niet goed uit,' antwoordt Geke. 'Die vlek is te dicht bij de kust om nog tegen te houden. De olie kan in beginsel wel chemisch opgelost worden, maar deze olie is al te dicht bij het strand. Het is het een kwestie van tijd.'

'Hoeveel tijd?' vraagt Mark.

'Weinig,' zegt Geke.

'En de vogels?'

'Beroerd natuurlijk. Ga er maar van uit dat alle vogels in dat deel van de zee aangetast worden. Ze kunnen geen kant op.'

'Ze kunnen toch uit die troep wegvliegen?' meent Peter. 'Daar zijn het toch vogels voor?'

'Geen optie,' zegt Geke. 'De vogels weten niet wat er gebeurt en raken vast in een olieplas waar ze niet uit weg kunnen. Ze worden als het ware met hun veren aan de oliefilm vastgelijmd.'

Mark ziet het voor zich. Hij voelt woede in zich opkomen. Het begint ergens in zijn maag en stijgt op naar zijn keel. Hij staat op en loopt het lokaal uit. Het beeld van die dode olievogel in de haven staat nog op zijn computerscherm. Dodo, zei Peter. Hij krijgt nog gelijk ook. Dodo, vogel en dood tegelijk in één naam. Soms zijn de grappen van Peter zo slecht nog niet, denkt hij wrang. Vanuit zijn boosheid groeit langzaam een gedachte, waarmee hij het lamme gevoel van machteloosheid misschien kwijt kan raken. Waarom zouden ze met de projectgroep niet in actie komen tegen de vervuiling van de zee? Er ligt nu toch een schaduw over de werkweek. Waarom zouden ze hun schoolproject niet ombuigen naar een actieproject? Terwijl het gesprek in de klas verder gaat zoekt hij op het internet naar voorbeelden voor een actie. Dat zal ergens in de wereld toch wel eens gebeurd zijn? Maar hij vindt niets. Niet van protestacties tenminste. Er zijn wel veel beelden van grote rampen, die Geke daarnet al noemde. Met telkens dezelfde beelden van olievlekken, besmeurde kusten, boze mensen en dierenleed. Er komen nu ook al beelden van de ramp op Walcheren binnen. Ook vanuit het buitenland is er grote belangstelling. Alle deskundigen zijn het erover eens: dit wordt een grote ramp, juist omdat het hier in Walcheren gaat om een ondiepe zee met veel leven. Mark loopt weer terug naar het biologielokaal, waar de discussie in de klas verder is gegaan. Het schoolproject is nu naar de achtergrond gedrongen. Jan Joustra doet nog een verwoede poging om de aandacht weer op dat project te richten, maar niemand heeft er nog veel zin in. Iedereen volgt de televisiebeelden, behalve Annette. Zij heeft zich achter in de klas teruggetrokken en zit wat te schetsen. Mark gaat bij haar zitten en kijkt hoe zij met een paar streken in houtskool een zeehond schetst die zwarte olietranen huilt. Daarnaast tekent ze een vis die in een olieplas spartelt. Op de achtergrond een paar lijnen van een fabriekslandschap, met hoge pijpen en buizen waaruit een zwarte stroom viezigheid een rivier invloeit. Terwijl Annette aan het tekenen is wordt de televisie-uitzending onderbroken voor een persconferentie, waar de burgemeesters van Veere en Vlissingen komen waarschuwen dat de olievlek niet op tijd tegengehouden kan worden en binnen korte tijd het strand zal bereiken. Die stranden liggen in hun beider gemeenten. Daarom roepen ze de noodtoestand uit, die hun de mogelijkheid biedt alles en iedereen in te schakelen. Even later worden in een extra nieuwsuitzending beelden getoond van grote aantallen olievogels die in de olieplassen drijven.

'Daar zal je het gedonder hebben,' briest Mark. 'Die komen straks op het strand terecht. Wat een smeerlapperij. Hoe kan zoiets toch gebeuren?' Ook op de televisie wordt die vraag gesteld. De woordvoerder van Rijkswaterstaat legt uit hoe de aanvaring tussen het vrachtschip en de olietanker plaats kon vinden. Het was in dichte mist. Een verkeerde koers van de vrachtboot, die de tanker in het voorschip ramde. Het zag er aanvankelijk niet zo ernstig uit. De kapitein van de tanker liet weten dat hij naar Hamburg zou doorvaren. Daar moest hij de olie afleveren bij een raffinaderij. Daarna zou het schip daar op een scheepswerf gerepareerd kunnen worden. Hulp van een in de haast toegeschoten sleepboot uit Terneuzen wees hij af. Al na een klein stukje verder varen begon echter een grote stroom olie uit de tanks te vloeien.

'Dat ging dus goed fout,' snuift Mark. 'Die rotzak is dus verantwoordelijk voor die rotzooi!' Hij schuift zijn stoel weg en staat boos op. 'Ik vind dat wij hier niet stil kunnen blijven zitten, terwijl ons strand wordt verziekt!' Zijn stem schalt door het lokaal. 'Wat wil je dan?' vraagt Suzan Smits. 'Ik hoor van mijn vader dat er alles aan wordt gedaan om de schade te beperken, Denk jij meer te kunnen dan al die mensen die daar nu bezig zijn?'

'O, maar dan ken jij Mark niet,' komt Peter er grijnzend tussen. 'Schoonmaakbedrijf Mark de Hark veegt dat oliefilmpje wel even van uw strand.' Er flikkert iets in de ogen van Mark. Verkeerde grappen op foute momenten zijn pas echt vervelend. Maar Peter voelt het gevaar en voordat Mark iets kan zeggen legt hij zijn handen op diens schouder. 'Wacht nou toch even af, man,' maant hij zijn vriend, 'tot er meer duidelijkheid is.' Hij wil Mark terugduwen op zijn stoel, maar dat gaat zomaar niet. Mark is een kop groter en wil dat niet laten gebeuren. Voordat het kan escaleren grijpt Jan Joustra in. 'Moet dat?' vraagt hij bits. Mark laat zich terugzakken op zijn stoel, zegt niets en kijkt stuurs voor zich uit.

'Je ziet Jan, Mark is duidelijk boos,' zegt Peter. 'Maar Annette ook, en ik ook,' voegt hij er aan toe. 'Wij willen iets gaan doen. Wij willen niet werkeloos blijven zitten en de tijd rond kletsen.'

'Wat denken jullie dan te kunnen doen?' vraagt Jan Joustra. 'Het heeft niet veel zin om nu met een schepje naar het strand te rennen en daar op de olie te gaan staan wachten. Ga er maar van uit dat alle instanties gewaarschuwd zijn en hun taak zullen doen.'

'Dat zal allemaal wel,' bromt Mark vanuit zijn stoel omhoog, 'maar het heeft ook geen zin om te doen alsof er niets gebeurt op dat strand, en gewoon verder werken aan ons werkstuk.'

'Daar heeft Mark wel een punt Jan,' zegt Geke van der Wal, 'maar dan blijft de vraag wat wij kunnen doen. En of dat zinvol is.' Ze kijkt Mark aan. 'Dat zul jij je toch ook wel realiseren?' Mark wrikt zich onder Peters handen uit en staat op. 'Mijn vraag is: blijven wij hier op onze gat zitten, terwijl het hele eiland in rep en roer is? Dat lijkt mij ook niet normaal.' Hij windt zich op, zijn ogen schieten vuur en hij krijgt een verbeten trek rond zijn mond. Jan Joustra herkent dat, hij heeft dat eerder gezien in conflicten met Mark en probeert te sussen. 'Draai jezelf nou niet al teveel op Mark. Maak nou toch eerst ons project af en ga dan helpen op het strand, als je dat nodig vindt.' Hij legt zoveel mogelijk kalme in zijn stem. Hij wil niet dat de zaak uit de hand loopt en het schoolproject compleet vastloopt. Het gaat tenslotte om een eindproject en daarvoor draagt hij namens de school de verantwoordelijkheid. 'Laten we ons hoofd koel houden en eerst alle feiten goed onder ogen zien. Er zal vast een actie op gang komen en daar kunnen wij ons dan eventueel bij aansluiten.' Het woordje 'eventueel' voedt Marks boosheid nog verder. Die toevoeging betekent immers in dat Jan Joustra nog niet overtuigd is van de noodzaak om in actie te komen. Peter kent de moeizame verhouding tussen Jan Joustra en Mark en duwt hem naar de gang. 'Sufferd,' sist hij, 'als jij je gemak niet houdt kun je elke actie met deze klas wel vergeten. We kunnen niet zonder Jan Joustra.'

'Ik anders wel,' gromt Mark.

'Jij natuurlijk wel,' schampert Peter, 'maar de anderen niet. Snap je dat?' Peter kijkt Mark strak aan. 'De meesten zijn niet zo moedig als onze held Mark Verburg. Zij denken ook aan hun eindcijfers voor het project.' Mark mokt, maar hij ziet wel in dat Peter nu de wijste is. Tenslotte weet hij zelf ook nog niet goed wat hij kan doen.

Als ze het lokaal weer inlopen staat Suzan Smits weer met haar vader te bellen. Zijn loodsboot ligt nu midden in het rampgebied en Suzan krijgt de informatie direct vanaf de boot. Het staat er slecht voor. Het gaat om een speciaal soort olie die als grondstof dient voor een plasticfabriek in Duitsland. Het is zware olie met giftige werking die moeilijk is te bestrijden en bijzonder kleverig is.

Mark ergert zich kapot aan zijn klasgenoten die ogenschijnlijk onbewogen doorwerken aan het project. Zijn boosheid richt zich nu op Annette, die in alle rust doorwerkt. Hij maakt er een bitse opmerking over, maar Annette reageert niet. Ze is bezig met een omslag voor het eindrapport en heeft geen zin in ruzie.

De tv meldt steeds nieuwe ontwikkelingen. Tegen de middag komt het nieuws dat de eerste olie op het strand ligt. Bij Zoutelande, een groot strand dat dicht bij de open zee ligt. De olie drijft met de vloedstroom mee, verder de Schelde op. De hele kust wordt bedreigd, tot aan Vlissingen aan toe. Er worden nu ook de eerste olieslachtoffers op de stranden gemeld, enkele tientallen zeekoeten en eidereenden. Jan Joustra heeft een overzichtskaart van Walcheren op de vloer gelegd. Hij laat zijn wijsvinger langs de lange kustzone glijden. 'Dit wordt echt een vreselijke ramp,' zegt hij. 'Het is de komende uren opkomend water. Grote kans dat de olie straks de stranden verderop en de boulevard bij Vlissingen bereikt.' Mark staart naar de kaart. Hij ziet in gedachten hoe de stinkende en giftige smurrie lang- zaam maar zeker uitvloeit over de Walcherse stranden. Het bloed stijgt naar zijn hoofd. 'Ik houd het hier niet uit! Ik ga naar het strand!' roept hij, en hij beent het lokaal uit. Annette en Peter wisselen even een snelle blik in de richting van Jan Joustra en gaan dan achter Mark aan. Ze willen hem nu niet in de steek laten. Jan Joustra veert op uit zijn knielende houding bij de kaart. Hij voelt dat de onrust in de groep nu snel kan groeien. Een wenk van Geke van der Wal weerhoudt hem om achter de drie aan gaan. Zij beduidt hem dat hij zich beter op de groep in de klas kan concentreren. Vervol- gens snelt zij zelf achter het drietal aan.

Op het duinpad dat van Dishoek naar het strand leidt is het druk met mensen die de ramp met eigen ogen wil- len zien. Op het strand staan vrachtwagens en bulldozers in slagorde gereedheid om vervuild zand weg te halen. Vlak voor de kust liggen een paar schepen, waaronder een zware sleepboot en een oliebestrijdingsvaartuig van Rijkswaterstaat. Er wordt een chemische laag over de zee uitgespoten om de olie af te breken. Er is goed te zien waar olie op het water ligt en waar het nog schoon is. Daar golft de branding nog met fris-witte schuimkop- pen naar het strand. Maar verder naar het noorden is de zee veel vlakker, zonder branding en donker van kleur. Daar ligt een bruinzwarte laag olie op het strand. Boven het strand hangt de zware geur van dieselolie.

Mark loopt de steile houten trap af, die van het hoge duin naar het strand voert. Annette en Peter lopen achter hem. Daarachter Geke van der Wal, die hen naar het strand is gevolgd. Ze sjokken eerst door het mulle zand en dan door een dikke, schuimige oliepap. Kilometers lang is het strand bedekt met een brede strook kleverige smurrie.

'Het lijkt wel een leeggelopen benzinepomp hier,' probeert Peter te grappen. 'Je weet wel, als je dieselolie tankt. De mensen hier boffen wel. Even een emmertje gratis olie halen.' Niemand kan erom lachen, zelfs geen glimlachje. Annette sist een vloek in zijn richting. Als het niet zo triest zou zijn was het een komisch gezicht op het strand: veel mensen hebben laarzen en overalls aangetrokken en staan met emmers en scheppen bij de vloedlijn om telkens bij het weer terugvloeien van de golven, het aangespoelde olie-zandmengsel weg te scheppen. 'Dat heeft niet veel zin,' stelt Geke mismoedig vast. Het lijkt wel wat op een line-dance. Ze kunnen beter wachten tot het water is gezakt. De vloed spoelt nu steeds opnieuw olie aan.'

'En dan nog,' schampert Mark, 'dan begin je nog niks met emmertjes.'

De gereedstaande vrachtwagens en bulldozers kunnen nog niet ingezet worden omdat de vloed nog steeds oploopt en nieuwe olie aanvoert. Dat zal nog een paar uur doorgaan. Maar de mensen op het strand willen graag nu iets ondernemen en blijven daarom geduldig hun emmers met de aangedreven smurrie vullen.

'Het lijkt wel oorlog,' zegt Peter. 'Al die zware voertuigen in slagorde.'

'De echte slag om de olie moet nog beginnen,' gromt Mark. Hij probeert te begrijpen wat er precies op zee gebeurt. De hulpvaartuigen varen langzaam op en neer. Ze trekken een grote rode band om een olievlek om te verhinderen dat die naar het strand kan drijven.

Onder aan de duintrap ligt de Zeester, een strandpaviljoen met een terras dat op zee uitkijkt. In het paviljoen is in alle haast een klein actiecentrum ingericht, van waaruit de schoonmaakactie zal worden gecoördineerd. Mark en Annette lopen samen naar het paviljoen. Op de trap naar het terras worden ze door twee meisjes tegemoet gelopen. Annette stoot Mark aan. 'Mark, dat linker meisje, dat is Janka Lievense, de vriendin van Donya Farimi.' De meisjes praten even met elkaar. Mark blijft een traptree lager wachten. Als Annette afscheid neemt en het strandpaviljoen binnenloopt, staan Mark en Janka tegenover elkaar. 'Hallo,' opent Mark. 'Ik ben Mark Verburg. Ik heb jou gisteren gebeld en ge-sms't.' Janka neemt Mark van top tot teen op, alsof ze van buiten kan zien of hij van binnen wel oké is. Mark kijkt haar op zijn beurt vragend aan. Dan veegt Janka met een gewoontegebaar wat van haar rode haar weg dat over haar linkeroog hangt en zegt: 'Heb je al contact kunnen krijgen met Donya?' Mark geeft geen rechtstreeks antwoord. 'Ik hoorde van Annette dat jullie altijd op vrijdag naar de disco gaan,' zegt hij. 'Komt Donya nu vrijdag ook?'

'Meestal is ze er wel.'

'Wil je haar zeggen dat ik ook kom?' Mark snapt dat hij zijn tegenzin tegen de disco moet wegslikken om Donya te kunnen ontmoeten.

'Ik ben je boodschappenmeisje niet. Dat doe je zelf maar.' Janka's antwoord klinkt behoorlijk stroef. Weer voelt Mark de terughoudendheid die hij gisteren in het telefoontje met haar ook al voelde. Hij weet niet goed wat hij ermee moet. Misschien het verkeerde moment, hier tussen al die narigheid op het strand. Janka is natuurlijk ook niet voor niets naar het strand gekomen. Maar ze beschermt haar vriendin wel heel erg. Maar waarvoor dan? Mark blijft even peinzend staan. De twee meisjes lopen door. Onder aan de trap keert Janka zich half om en roept: 'Probeer het vrijdag maar.'

De anders zo gezellige Zeester is nu veranderd in een actiecentrum. Er staan een paar tv-monitoren opgesteld, compleet met lampen en microfoons. Er is een perscentrum ingericht waar journalisten hun berichtgeving verzorgen. Er zijn al veel mensen uit de buurt gekomen die staan te wachten op instructies om te helpen met schoonmaken.

De altijd zo opgewekte eigenaar van de Zeester staat nu met een sombere blik het gebeuren op het strand te volgen. Mark kent hem goed omdat hij vaak vakantiewerk op de Zeester doet. Zo heeft hij hem nog niet eerder gezien, behalve die keer dat de pas aangebrachte zonnepanelen op het dak van het paviljoen lekkages vertoonden. Hij was juist zo trots geweest dat hij die beslissing genomen had. Met groot genoegen liet hij op het schermpje van het bedieningsapparaat aan elke belangstellende zien hoeveel uren zon het dak had opgevangen. Ja, tot het na korte tijd ophield omdat de panelen niet goed waren bevestigd, en hij de firma die het geleverd had ging aanpakken. De stoom kwam uit zijn oren. Hij klom zelf op het dak om het herstelwerk van uur tot uur te volgen en de monteurs geen moment uit het oog te verliezen. 'Domme mensen,' zei hij, 'die denken dat zij mij ongestraft rotwerk kunnen leveren. Ze kunnen het dak op!' Maar toen het eenmaal geregeld was kwam zijn vrolijkheid met evenveel energie terug

als de zonnewarmte op zijn dak. Als Mark op een bar-
kruk aan de tap gaat zitten krijgt hij ongevraagd een glas
cola light ingeschonken. De eigenaar kent van elke vaste
gast de voorkeuren. 'De mensen denken dat de zee één
grote vlakte is,' zegt hij, door een kijker turend, 'maar
het is hier net een drukke straat met veel verkeer. De
schepen moet voortdurend manoeuvreren, langs ondieptes, geulen en zandbanken. Tussen olieplatforms,
windmolens en andere schepen. Dat moest een keer
fout gaan.' Met een sombere gelaatsuitdrukking geeft
hij zijn kijker aan Mark, die zo de bewegingen op zee en
het strand beter kan volgen. Het ziet er indrukwekkend
uit, al die werkvaartuigen op zee, het legertje bulldozers
en vrachtwagens op het strand en al die hulpvaardige
mensen. Maar de vloed wordt steeds zwarter. En het zal
nog uren zo doorgaan.

Als ze aan het eind van de ochtend met zijn drieën
weer terug zijn in het biologielokaal van het Walchria,
zit Geke van der Wal in een leeg lokaal over een krant
gebogen. Mark gaat bij haar zitten: 'Waar is iedereen?'
vraagt hij.

'Naar het strand, net als jullie,' antwoordt Geke.

'En JJ?'

Geke kijkt vragend.

'JJ, zo noemen wij Jan Joustra,' verduidelijkt Mark.

'Ik weet niet waar hij is,' antwoordt Geke. 'Ik denk
dat hij met de klas mee is.' Ze buigt zich weer over de
krant. Veel koppen in grote en vette chocoladeletters.
Grote stukken tekst en veel foto's van de ramp.

'Hebben JJ en jij al iets besproken over ons project?' vraagt Mark. Hij probeert het ongeduld in zijn
stem te beheersen. Zonder op te kijken zegt Geke:
'We hebben het er nog niet over kunnen hebben. We

moeten er straks maar over doorpraten. Als iedereen er weer is.'

Mark kruipt achter zijn pc en zoekt het internet af op nieuwe berichten over de ramp. Het meeste is herhaling van eerdere uitzendingen. Langzaamaan druppelt de hele klas weer binnen. Nu ze de ramp met eigen ogen hebben gezien, is er bij de klas ook meer begrip voor Marks houding. Maar de meningen zijn toch sterk verdeeld. Sommigen willen liever gewoon verder werken, omdat ze denken geen zinnige bijdrage aan de rampbestrijding te kunnen leveren. Anderen willen wel graag naar het strand om te helpen bij de schoonmaak. En weer anderen voelen wel iets voor het idee van Mark om het project verder uit te breiden met een nieuw hoofdstuk over de bedreigingen van de zee. 'We hebben het er morgenochtend nog eens over,' concludeert Jan Joustra. 'Er is dan ook meer informatie over de ramp. Aan de hand daarvan kunnen we opnieuw bespreken wat ons te doen staat.' Zijn voorstel klinkt niet zo doortastend en actiegericht, maar niemand weet eigenlijk iets beters. Jan Joustra heeft nu wel bereikt dat de hele middag zonder al te veel strubbelingen wordt doorgewerkt aan het project.

Net als Mark 's avonds naar de sportschool wil, rinkelt zijn mobiel. Een zachte meisjesstem zegt: 'Met Donya Farimi.' Mark weet even niets te zeggen. 'Hallo. Met Donya Farimi,' klinkt het nog een keer. Mark reageert met: 'Mark Verburg, hoi.' De zachte stem zegt: 'Ik hoor van Janka dat jij vrijdag naar de dansschool wil komen.' Het klinkt voorzichtig. 'En dat je speciaal voor mij komt.' Mark zoekt naar woorden. 'Ja, dat klopt,' brengt hij er dan kortweg uit. Wat moet hij nu zeggen? Hoe moet hij het aanpakken? 'Ik zou je graag nog een keer ontmoeten,' begint hij. Mark hoort Donya's ademhaling. Hij is gespannen. Hij heeft niet veel ervaring met meisjes. Het blijft even stil aan de andere kant. Dan klinkt het beslist: 'Ik wil je best nog eens zien. Maar ik ga vrijdag niet dansen. Dan moeten we iets anders afspreken. Het komt niet goed uit, ik bel je nog wel.' Het gesprek wordt ineens afgebroken. Waarom doet ze dat? Mark staart naar zijn mobiel. Hij wordt door verschillende gevoelens beheerst. Verbaasd over het zo abrupt beëindigde gesprek, opgelucht dat hij niet naar de dansschool hoeft, gespannen omdat hij zich onzeker voelt, en vlinders in zijn buik omdat hij een afspraak met Donya kan maken. Terwijl hij zijn mobiel dichtklapt komen ineens de woorden en zinnen die hij graag had willen zeggen. Hij ergert zich aan zijn eigen onvermogen. Maar ook als hij het had gewild, terugbellen is niet mogelijk. Het nummer is geheim.

3

De Zandmensen

Mark is vroeg wakker. Onder de hete straal van de douche soest hij nog wat door. Flarden van gedachten spelen door zijn hoofd, komen op en gaan weer. Staande dromend. Tot de schrille stem van zijn zus hem ruw uit zijn doezeling haalt. Elke ochtend hetzelfde ritueel: zus en broertje in de wacht, krijsend dat het te lang duurt. Iedereen heeft haast 's ochtends. Net op het moment dat de gezamenlijke familiebui over hem heen komt stapt hij uit de douchebak. Terwijl hij in de keuken zijn broodje staat te kauwen staart hij gewoontegetrouw naar de nieuwsberichten op zijn iphone. De berichtgeving over de olieramp beheerst het nieuws. De stranden van Walcheren zijn zwaar vervuild met een dikke laag olie. Mark is direct klaar wakker. Net voordat hij op zijn fiets stapt ringelt zijn mobiel.

'Met Donya. Ik zou je nog terugbellen.'

En weer blijven de woorden bij Mark weg. Dan vat hij moed. Het is nu of niet. 'Heb je het gehoord?' begint hij. 'Er is een olietanker gebroken. Er ligt olie op strand. Ik ga vandaag kijken. Wil je met me meegaan?' Donya antwoordt niet direct. Mark is gespannen. Het lijkt alsof Donya haar hand op de microfoon heeft gelegd. Mark hoort vaag een mannenstem op de achtergrond. Dan zegt Donya: 'Ik kan alleen vanmiddag, maar ik moet om zes uur weer thuis zijn.' Mark weet niet hoe snel hij moet bevestigen: 'Oké, laten we om drie uur afspreken. Ik wacht dan op je bij de Zeester, dat is het strandpaviljoen bij Dishoek. Weet je dat te vinden? Bel me als je onderweg bent, dan gids ik je. Tot vanmiddag dan.' Mark klapt zijn mobiel dicht. Het juicht in zijn binnenste, maar hij beseft tegelijk dat het spijbelen wordt. Dat zal nog problemen geven.

Hij stapt op zijn fiets en peddelt in de richting van de school. Onderweg vallen hem de woorden en zinnen in die hij tegen Donya had moeten zeggen. Nu is het een nogal typisch afspraakje geworden om naar een oliestrand te gaan kijken. Niet zo romantisch voor de eerste keer. Hij neemt zich voor het de volgende keer wat warmer aan te pakken. Als hij het weggetje naar het schoolgebouw oprijdt beseft hij dat hij ook nog een probleem met de school moet oplossen. Moet hij zijn werkgroepje vast vertellen dat hij er vanmiddag tussen uit knijpt? Dan komt het ook wel bij Jan Joustra. Of meteen maar JJ zelf? Zijn verstandhouding met hem zal er niet beter op worden als hij zonder zijn toestemming weggaat. En ja, het is ook niet zo'n fijn idee om zijn groep in de steek te laten, al is het misschien maar voor een middag. Aan de andere kant, iedereen heeft het nieuws vanochtend kunnen horen en moet er begrip voor kunnen hebben dat hij de ramp met eigen ogen wil zien. Dat zouden ze zelf ook moeten doen. Over Donya hoeven ze niets te weten. Dat is zijn eigen zaak. Het strand trekt. En samenzijn met Donya ook.

De hele ochtend houdt Mark zich in, en rondt zijn verslag af van het bezoek aan de visveiling in Breskens. Tegen lunchtijd zoekt hij Annette op. Hij wil haar zeggen dat hij naar het strand gaat om de situatie te bekijken. Maar dan valt hem in dat zij misschien wel mee zal willen, en dat komt nu natuurlijk niet goed uit. Hij kan haar bij zijn afspraak met Donya niet gebruiken.

Het is laag water. De schoonmaakwerkzaamheden op het strand zijn nu goed op gang gekomen. De rijen houten palen die de golven moeten breken, staan als sinistere zwarte wachters op het strand. Ze zijn door de kleverige olie nog donkerder dan anders.

Er zijn nog meer werkschepen op zee dan gisteren. Ze varen langzaam op en neer langs de kustlijn. Op het strand rijden vrachtwagens af en aan om de bergen smurrie af te voeren, die door de bulldozers van het strand zijn geschraapt. Tussen de palen van de golfbrekers zijn tientallen mensen bezig olie op te scheppen en in emmers weg te brengen naar de vrachtauto's hoger op het strand.

Bij het pad naar het strand is een parkeerterrein. Daar wacht Mark op Donya. Marks hart klopt hoog in zijn borst en bij Donya is het niet anders. Donya zet haar fiets tegen het rek en loopt naar Mark toe. Mark weet niet goed wat hij moet doen. Een hand geven is wel erg stijfjes, maar hij durft ook zijn arm niet om haar heen te leggen. Ook Donya staat er wat bedremmeld bij. Zij zijn niet alleen onzeker omdat ze elkaar nog niet goed kennen, ze komen uit verschillende culturen en dat is op de een of andere manier ook voelbaar. Ze wisselen wat simpele woorden over het fietsen, het weer en de tijd die ze beschikbaar hebben, en gaan dan samen het duinpad op. Een lange houten trap voert naar het strand, langs het strandpaviljoen, waar het een haastig komen en gaan is van allerlei mensen, velen met zware laarzen en overalls. Donya en Mark sjokken door het mulle zand langs de vloedlijn in de richting van Zoutelande en Westkapelle. De zee heeft hier een dikke laag vette olie hoog op het strand geworpen. De eerste olieslachtoffers komen ze al snel tegen. Een groepje eidereenden. Dotjes zwartig poetskatoen; besmeurde veren, waartussen stoppelig wit vel doorschemert.

'Moordenaars zijn het,' sist Mark.

'Wie bedoel je daarmee?' vraagt Donya. 'Ik heb uit het nieuws begrepen dat het een ongeluk is. Niemand doet zoiets toch met opzet?'

'Een ongeluk,' herhaalt Mark bitter, 'dat zal wel. Maar dit moest een keer gebeuren. We hadden het kunnen zien aankomen. In andere landen is het vaker gebeurd. Kapotte olietankers en kilometers kust vervuild. Maar bij ons gebeurt dat niet, zeggen ze dan. Bij ons komen alleen maar 'kleine' ongelukjes voor, zoals ze dat dan noemen.' Hij maakt met twee vingers naast zijn hoofd een aanhalingsteken. 'Een beetje olie gelekt, per ongeluk wat stookolie verloren of een container overboord geslagen. En het ging altijd nét goed; ach, een beetje olie op het strand, wat gif in de zee. Dat verdunt wel. Een paar vogels dood, wat geeft het. Nooit een echte grote ramp. Daarvoor hebben wij goede regels en scherpe controle van schepen. Dat lieten de bedrijven en de politici ons voortdurend weten. En de mensen geloofden het.' Donya hoort Marks verhaal zwijgend aan, enigszins geschrokken door de woede die in zijn woorden doorklinkt. Mark legt haar uit dat hij tot diep in de nacht informatie heeft gegoogeld. En steeds bozer is geworden. Het zijn niet alleen de grote ongelukken die Geke van der Wal noemde. Ja, die trokken de aandacht omdat de internationale pers er boven op dook. Maar er zijn ook op onze kust ongelukken gebeurd. Zoals containers bij Texel die bij zware storm van het dek van een schip zijn afgeslagen. Vol vloeibaar gif. Gelukkig spoelden de meeste containers met alleen wat deuken en butsen aan op de stranden. Maar er waren er twee die kapot waren geslagen. Daaruit was gif gelekt waardoor veel dode vogels en vissen op het strand zijn aangespoeld. En neem het ongeluk hier op de Schelde, waar kort geleden tot twee keer toe grote zeeschepen door slecht manoeuvreren vastliepen op ondieptes. Er moesten rampenplannen in werking gesteld worden omdat er gevaarlijke ladingen aan boord waren. Niet lang daarna dreigde een op drift geraakte supertanker een booreiland te rammen, vlak voor de kust van Zeebrugge. Een te hulp geroepen sleepboot uit Terneuzen kon het schip op het laatste moment nog opzij trekken. Ongelukken en bijna-ongelukken te over. En mag de kapitein van een schip, dat stiekem wilde doorvaren na een botsing met een steiger in Westkapelle geen boef genoemd worden? Hoeveel brokkenpiloten, prutsers en sufferds zijn er niet op zee? Zoals op de Exon Valdez die bij Alaska meer dan een half miljoen dieren in zijn olie liet stikken. Is dat dan geen misdaad?

Langs de vloedlijn liggen nu overal vogels. Als Donya en Mark wat dichterbij komen zien ze dat niet alle vogels dood zijn. Een paar vogels proberen weg te waggelen, met slap fladderende vleugels, zwaar van de olie. Donya slaat van afschuw haar handen voor haar mond. 'Die moeten geholpen worden,' zucht ze. 'Maar hoe?'

'Er is een opvangcentrum in Middelburg' zegt Mark. 'Ik ben daar wezen kijken met Annette Vermaat uit mijn klas.' Hij staat naast Donya naar de zieltogende vogels te kijken en kan ook niets doen. Hij zou niet weten hoe hij die vogels kan pakken en hij heeft ook niets om ze in te te vervoeren. Mark staat nu tot zijn enkels in de drab. Het kleeft aan zijn schoenen. Voor hem in de bruine modder liggen tientallen vogels, dood of in doodsnood. Hoeveel zullen er nog op zee drijven en de komende uren aanspoelen? Donya knielt bij een dode zeekoet en probeert met haar nagel wat aangekoekte olie van het zwarte verenpakje te krabben. 'Als je ze al levend kunt meenemen, hoe krijg je in vredesnaam die plak van hun veren af?' Mark vertelt haar wat hij daarover gisteren heeft gehoord. Schoon water, niet prikkende zeepsop en veel geduld, dat is zo ongeveer het enige recept. En veel helpende handen om het te doen.

Ter hoogte van Westkapelle verbreedt de Schelde zich naar de zee. Het is één grote watervlakte. Met elke golfslag laat de zee een volgende laag olie op het strand achter. Tientallen vogels waggelen en fladderen vooruit in een laatste poging uit de smerigheid weg te komen. Maar de olie kleeft vast en verlamt hun vleugels. Hun zo vertrouwde omgeving, de zee, is nu een dodelijke vijand geworden. Langs het hele strand proberen mensen de dieren te vangen om ze in grote rieten manden mee te nemen. Maar er zijn er zoveel, en het strand is zo uitgestrekt dat het onbegonnen werk lijkt. Ook Donya probeert een zieke vogel te pakken. Het dier fladdert weg als zij dicht bij komt. Ze rent er achter aan. Mark blijft achter. Zijn gedachten gaan terug aan hun gesprek van daarnet op het duinpad. Donya heeft hem iets verteld over het waarom van het geheime telefoonnummer. Dat heeft te maken met haar vlucht uit Iran. Maar ze bleef vaag en het leek alsof ze erg op haar hoede was. Alsof ze Mark niet vertrouwde en hem niet teveel informatie wilde geven. Mark van zijn kant wilde zich niet al te veel opdringen en de indruk wekken dat hij haar wilde uitvragen over haar achtergrond. Tenslotte kenden zij elkaar nog maar net. Hij beseft dat ze een groot vraagteken voor hem is. En hij voor haar natuurlijk. Hij voelt zich sterk tot haar aangetrokken, met een opwindende warmte door heel zijn lijf. Geïnteresseerd, zoals Janka dat noemde, is te weinig, Verliefd komt dichter in de buurt. Dat gevoel stelt Mark voor een probleem. Dat heeft hij nooit eerder zo gehad bij een meisje. Het voelt prettig en hinderlijk tegelijk. In zijn hoofd en in zijn buik. De geheimzinnigheid die om haar heen hangt compliceert dat gevoel nog eens extra. Zijn gedachten, die hij altijd zo goed kon ordenen, lopen nu als losse draadjes door elkaar. Daar komt die olieramp nog bij, met alle narigheid. En dan is er ook nog het altijd dreigende conflict met Jan Joustra op de achtergrond. Het is wat teveel voor Mark. Hij die altijd alles onder controle heeft raakt nu de regie over zichzelf kwijt en dat zit hem danig dwars.

Een aanzwellend gebrom boven zee haalt hem uit zijn gedachten. Het is een helikopter. Het toestel vliegt laag, de wieken jagen gelige schuimvlokken over het strand. In de deuropening zit een man in een legeruniform, die met een kijker de zee afzoekt. De helikopter scheert langs het strand en verdwijnt weer in de verte. Intussen is Donya een flink stuk vooruit gelopen en bij een schoon stuk strand gekomen. Hier is de olievlek voorbijgegaan zonder het strand te raken. Donya is blijven staan bij een groepje mensen aan de vloedlijn. Er ligt iets op het strand dat de aandacht trekt. Mark probeert zijn gepeins van zich af te schudden, maar dat gaat niet zomaar. Problemen zet je niet zomaar uit je hoofd, anders waren het immers geen problemen. Hij versnelt zijn pas. Op het strand ligt iets groots bij de waterlijn. Van ver lijken het grote vissen die op het droge terecht zijn gekomen. Er staat een filmploeg opnamen te maken. Dichterbij gekomen ziet Mark drie menselijke gestalten op het strand liggen. Het zijn figuren van zand. Twee volwassen mensen en een kind die elkaar vasthouden. De vrouw die deze zandmensen heeft gemaakt wordt geïnterviewd. Zij heet Frida Malakovic, een Poolse kunstenares die al een aantal jaren op Walcheren woont. Met haar man drijft zij een kampeerbedrijf vlak achter het duin. Zij maakt 'manifestaties', zoals ze dat zelf noemt, kunstwerken samengesteld uit strandvondsten, hout, plastic, zeewier, schelpen, alles wat aanspoelt en op het strand achterblijft. Frida Malakovic heeft niet het uiterlijk van een strandjutter; geen verweerd hoofd en geen eeltige handen. Integendeel, zij ziet eruit als een elegante, wat buitenissig geklede stadse dame. Het haar in een ronde knot op haar hoofd, bedekt door een zwierige paarse hoed. Onder haar lange leren jas steken haar benen in rode netkousen in elegante glimmende laarsjes. Ze rookt een dun sigaartje in een wit mondstuk. Je zou haar meer in de grote stad op een chique terras verwachten dan hier in deze ruwe omgeving van strand en duinen.

Mark verbaast zich over de situatie. Even verderop voltrekt zich een vreselijke ramp, je ruikt de oliestank op kilometers, maar hier gaat het leven gewoon zijn gang alsof er niets aan de hand is. Normale strandgeluiden van krijsende meeuwen, een bolle bries en een wit bruisende zee.

Frida Malakovic poseert voor een fotograaf die haar en de zandfiguren vanuit verschillende standen fotografeert. Een verslaggever houdt haar een microfoon voor. 'Als de vloed zo dadelijk opkomt, spoelt uw kunst-

werk weg, is dat niet een beetje zonde van uw werk?'
vraagt de interviewer haar. De kunstenares maakt een
breed armgebaar, zwaaiend met het sigaartje. 'Helemaal niet,' zegt ze met een accent dat verraadt dat ze
uit een Oost-Europees land komt. 'Mijn kunst is daar
juist voor bedoeld. Ik maak vergankelijke beelden. Zo
maak ik sculpturen van ijs, dat ik laat smelten. Figuren
van papier, dat ik in brand steek. Schaduwbeelden op
muren die wegvallen als ik de lichtbron uitdoe. En hier
heb ik figuren van zand gemaakt, die worden opgelost
door de zee. Als de vloed weer komt. Dat is het wezen
van mijn kunst. Zo wil ik de vergankelijkheid van het
leven laten zien. Het is dus juist de bedoeling dat deze
zandmensen aanstonds door de zee opgenomen worden. Dat is precies de symboliek van de tijdelijkheid
van het leven, dat ik zo wil uitdrukken. Dát is de essentie van mijn kunst.'

'Mooie symboliek,' gromt Mark, 'moet ze even verderop gaan kijken, dan ziet ze pas wat vergankelijkheid
is. Hulpeloze dieren die in de rotzooi creperen.' Hij
wil doorlopen, maar Donya blijft geïnteresseerd staan.
'Kijk,' gaat de kunstenares verder, 'we maken natuurlijk wel foto's van mijn kunstwerken. Voordat ze verdwijnen. Dat is dan wat er aan tastbaars overblijft. Net
zoals ook van u en van mij na onze dood niets meer
resteert dan een foto op de kast van onze nabestaan-
den, begrijpt u wel?' Mark vindt het allemaal nonsens
en leeg geklets. Maar Donya is duidelijk geïnteresseerd.
Ze loopt naar de zandpoppen om de details beter te
kunnen zien. Het zijn levensechte figuren die fraai zijn
gevormd. De opkomende vloed begint al wat aan de
zandpoppen te knabbelen. Het is fascinerend om te
zien hoe snel ze in het opvloeiende water beginnen weg

te schrompelen. De fotograaf maakt haast met zijn fo-to's. 'Kijk,' zegt Frida Malakovic tegen de interviewer, 'die foto's zijn dus het resultaat van mijn werk Daarvan wordt een tentoonstelling en een boek gemaakt.'

'Ik vind het wel knap,' zegt Donya. 'Het doet mij aan vroeger denken. Toen ik een klein meisje was deden wij ook vaak zoiets aan de oever van de rivier in ons dorp. Ik ging dan in het zand gaan liggen en mijn zusje schepte zand over mij heen. Tot ik niet meer kon bewe-gen. Alleen mijn hoofd nog bloot. En dan moest je zien er weer uit te komen. Duwen en wrikken met armen en benen.' Ze staart naar de afbrokkelende zandfiguren. Die roepen een idee in haar op. Had Mark niet iets gezegd over een actie die hij met zijn klas zou willen voeren tegen de olievervuiling? Zou dit beeld van die stervende zandfiguren daarin niet een rol kunnen spe-len? Het is nog maar een vage gedachte, maar toch. Zij kijkt naar Mark die, als een paard met zijn hoef, onge-duldig met zijn voet in het zand schraapt. Hij ziet niets in dat kunstgedoe, dat is duidelijk. Donya aarzelt. Ze kent Mark nog maar zo kort. Kan ze zich wel bemoei-en met iets wat haar helemaal niet aangaat? Misschien klapt hij direct dicht. Soms stoot je mensen van je af als je ze met ideeën overvalt.

Frida Malakovic nodigt iedereen uit met haar mee te gaan naar haar atelier. Daar zal een receptie worden gehouden ter gelegenheid van de presentatie van een fo-toboek van haar werk. Donya zegt dat ze wel mee wil. Mark volgt haar wat onverschillig. Het atelier ligt vlak achter de duinen in een voormalige boerenschuur. Er is een tentoonstelling ingericht met foto's van de werken van de kunstenares. Donya gaat bij een groepje staan waar Frida Malakovic en de fotograaf het middelpunt vormen. Zij zijn in druk gesprek. Donya zou haar idee wel bij Frida Malakovic willen testen. Zij en de fotograaf zullen niet direct schrikken van een spontaan idee, daarvan leven zij zelf immers ook. Donya wacht een geschikt moment af. Zo'n moment komt als de fotograaf even uit het groepje stapt om een glas wijn te halen. Zij loopt met hem mee en spreekt hem aan bij het tafeltje met flessen en glazen. 'Ik ben Donya Farimi. Ik heb u daarnet foto's zien maken van de zandfiguren. Mag ik u iets over uw werk vragen?' De fotograaf, een grote man in een kort leren jasje, met lang blond haar dat tot op zijn schouders hangt en een forse snor, kijkt Donya bemoedigend aan. 'Maar natuurlijk,' zegt hij, 'wat wil je weten?' Hij steekt zijn arm uit om Donya een hand te geven en trekt die dan snel weer terug. Hij ziet dat Donya een hoofddoek draagt en beseft dat ze misschien moeite heeft om een man de hand te schudden. In sommige kringen van de Islam is dat niet toegestaan en hij wil haar niet in bruuskeren. Donya ziet zijn verlegenheid. Het is niet de eerste keer dat mensen niet goed weten hoe ze zich tegenover haar moeten gedragen. Wat wel en wat niet kan. 'Dat komt zeker door mijn hoofddoek,' zegt ze verontschuldigend als ze zijn verlegenheid ziet. 'Maar ik ben niet van de strenge leer. U kunt mij gerust een hand geven.' Met haar liefste glimlach steekt ze haar hand uit. De man haalt zichtbaar opgelucht adem, blij dat Donya de ongemakkelijke situatie heeft opgelost. 'Klaas Oldenburg,' stelt hij zich voor.

'U weet natuurlijk wel dat er een olieramp is?' begint Donya. 'Verderop is het strand al erg vervuild. Er liggen veel dode vogels.'

'Ja natuurlijk weet ik dat,' antwoordt Klaas Oldenburg, een beetje gepikeerd. 'Ik ben niet voor niets persfotograaf. Mijn krant heeft mij al gevraagd wat platen te maken van die ramp. Ik ga daar zo dadelijk heen.' Hij maakt een gebaar naar de fotowand in het atelier. 'Dit hier is mijn hobby. Kunstfotografie. Frida Malakovic is een vriendin van mij. Wij werken vaak samen aan dit soort projecten'. Hij neemt een slok van zijn wijn en veegt met een gewoontegebaar met de rug van zijn hand de druppels van zijn snor. 'Maar ik moet mij nu even verontschuldigen, Frida heeft mij nodig.' Als hij wegloopt draait hij zich nog even om: 'We kunnen straks nog even verder praten. Ik ga nu een toelichting op de foto's geven.'

Donya ziet dat Mark intussen een rondje maakt langs de foto's. Ze staat in dubio, ze zou haar idee wel met Mark willen bespreken, maar ze aarzelt. Mark lijkt haar iemand die niet erg gevoelig is voor fantasie-achtige dingen. Anders zou hij wel anders op de kunstwerken van Frida Malakovic reageren. Er is ook een groot cultuurverschil tussen hen. In haar wereld in Iran is fantaseren en dromen misschien iets heel anders dan de westerse wereld van Mark, die veel meer gericht is op concrete zaken. Of dat ook echt zo is? Hoe kan zij dat weten? Daarom zou ze haar idee liever eerst willen toetsen bij die twee kunstenaars; die staan in elk geval dicht bij creatieve ideeën. Maar die twee zijn druk met de presentatie bezig en hebben geen tijd voor haar. In een opwelling hakt ze de knoop door. 'Mark', begint ze. 'Jij had het toch over een actie die jij met jouw klas tegen de vervuiling zou willen voeren?' Mark kijkt haar verbaasd aan. Hij heeft er terloops iets over gezegd, een enkel woord, daarnet op het duinpad. Dat heeft ze snel opgepakt! Donya gaat verder: 'Toen we daarnet op het strand naar die zandfiguren stonden te kijken kwam er een idee bij mij op. Iets dat je misschien zou kunnen gebruiken als je echt actie wil gaan voeren.' Ze wacht even Marks reactie af. 'Ja, ik loop daarmee rond,' antwoordt Mark, 'maar ik krijg de klas niet mee. En onze leraar is een angsthaas, die remt voortdurend af. Dus ik kom niet verder.'

'Wat voor actie heb je dan in je hoofd?'

'Dat weet ik nog niet precies. Het zou in elk geval publiciteit moeten opleveren. Om duidelijk te maken dat het zo niet verder kan met die olie- en giftransporten die het zeeleven verwoesten.' Bij Mark gaat nu de sluis weer open, net als daarnet op het strand. Hij begint weer harder en sneller te praten: 'Ik wil dat de veroorzakers aangepakt worden. De verantwoordelijke bazen weten steeds weer weg te komen. Kijk maar naar die vreselijke ramp met het booreiland van British Petroleum voor de kust van Amerika. Een verschrikkelijke milieuramp. De directeur wordt ontslagen, maar krijgt wel een paar miljoen mee. Hoe kan dat?' Mark spuugt die laatste woorden bijna uit. Zijn ogen staan vol vuur.

'Misschien kan ik je helpen,' onderbreekt Donya hem met zachte stem. 'Die zandfiguren van Frida Malakovic brachten mij op een idee. Stel je eens voor dat er ineens zo'n soort figuur tot leven komt en tegen je begint te praten.' Mark kijkt haar met grote ogen aan. Waar wil ze in vredesnaam ze heen?

'Dan zou je toch schrikken?' vraagt Donya

'Ja natuurlijk, maar dat is toch onzin!'

'Het is een fantasie, als in een droom.'

'Ik droom nooit,' houdt Mark af. Donya voelt zijn tegenzin; hij is teveel realist voor zulke fantasieën, maar ze gaat gewoon door. 'Stel je een monster voor, met een gruwelijk uiterlijk, een zombie.' Mark wordt wat onge-duldig, maar hij wil niet dominant overkomen. Hij is veel te blij dat ze bij elkaar zijn. 'Dat noem ik dan een nachtmerrie!'

'Nachtmerrie?' herhaalt Donya vragend. 'Wat is een nachtmerrie?' Mark schiet in de lach. Hij beseft dat dit een vreemd begrip kan zijn voor Donya en legt het uit. 'Het maakt niet uit hoe je het noemt,' zegt Donya. Ze maakt een hoofdgebaar naar Klaas Olden-burg, die met een paar bezoekers van de tentoonstel-ling in gesprek is. 'Hij heeft foto's gemaakt van die zandmensen in alle fases van het verval. Stel nu eens dat wij ook zo'n soort figuur maken. Maar niet van zand. We maken een pop. Die als een monster uit zee komt. Daar maken we dan foto's van.' Mark probeert Donya te volgen, maar kijkt er ongelovig bij. 'Ik snap er echt niets van,' zegt hij. Maar Donya gaat verder: 'Wij maken er een verhaal bij en geven dat dan aan een krant voor een reportage, of we zetten het op in-ternet.' Mark kan het verband tussen zijn actie tegen de olievervuiling en Donya's zeemonster nog steeds niet leggen.

'Onze pop, het zeemonster,' vervolgt Donya, 'is een slachtoffer van de olievervuiling en komt de mensen waarschuwen dat we niet zo verder moeten gaan, want dat wij er dan tenslotte allemaal aan kapot gaan. Dat het leven ook op aarde een nachtmerrie wordt, zoals jij dat noemt.'

'Ik vind het wel een beetje typisch verhaal', zegt Mark. 'En hoe denk je aan zo'n pop te komen?'

'Van Frida Malakovic.'

'Heb je haar dat dan gevraagd?'

'Nee, maar dat wil ik best doen. Als jij er tenminste

wat in ziet voor je actie.' Mark antwoordt niet meteen. Hij is niet zo'n fantast, dat heeft Donya goed ingeschat. Maar hij gooit het idee ook niet direct weg. Hij probeert het zich voor te stellen. Donya hoort zijn hersens kraken. 'Ik heb net kennis gemaakt met Klaas Oldenburg,' zegt ze. 'Zullen we het hem eens voorleggen?' Mark maakt een afwerend gebaar: 'Die zit toch heus niet te wachten op onze ideeën voor een actie.' Donya doet alsof ze hem niet hoort en stapt op de fotograaf af. 'Mevrouw Farimi,' begroet deze haar met een beleefd knikje van zijn hoofd. 'Ik heb u daarnet wat onbeschoft laten staan. Wij zouden nog wat doorpraten.'

Met een 'dit is Mark Verburg, mijn vriend' introduceert Donya Mark bij de fotograaf. Mark staat er wat moeilijk bij. Hij weet zich niet goed een houding te geven. Toch overheerst het prettige gevoel dat alles in Donya's bijzijn makkelijker wordt. Dit is een meisje dat met hem meedenkt, niet tegen hem in. Donya legt Klaas Oldenburg haar idee uit. De fotograaf luistert aandachtig, zonder maar een ogenblik het gevoel te geven dat hij het een raar plan vindt. Als kunstenaar weet hij dat ideeen nu eenmaal zo werken. Eerst een vage gedachte, in de wereld van de fantasie. Daarna realisme in de uitwerking. 'Leuk idee, maar waar kom ik in beeld?' vraagt hij als Donya klaar is met haar verhaal. Hij snapt ook wel dat Donya hem niet voor niets haar idee voorlegt. Hij neemt een slok wijn en kijkt Donya van boven zijn glas vrolijk grijnzend aan. 'Ah, ik snap het. Jullie dachten, hij is fotograaf, hij heeft foto' s van de zandmensen van Frida Malakovic gemaakt, hij moet ons helpen.' 'Niet moet, kán,' verbetert Donya. 'En het gaat er ook niet om óns te helpen, maar om de olieslachtoffers,' voegt Mark er wat bozig aan toe. 'Goed, goed, de olieslachtoffers, daar gaat het om,' herhaalt de fotograaf. 'Ik zou het je niet durven tegenspreken.' Er klinkt een lichte toon van terechtwijzing in vanwege Marks vinnige toon. Ook Klaas Oldenburg heeft de berichten over de olieramp met afgrijzen gehoord en hij voelt wel voor het idee van Donya. Als persfotograaf heeft hij goed toegang tot de media en waarom zou hij niet een handje helpen om een actie mogelijk te maken tegen die smerigheid? Hij neemt Donya bij de arm en neemt haar mee naar Frida Malakovic. 'Deze twee willen een actie opzetten tegen de olievervuiling. Zij hebben een monsterpop nodig om indruk te maken. Dit meisje hier weet hoe die eruit moet zien. Kun jij die voor hen maken?' vraagt hij haar zonder omwegen. 'Dan maak ik daar foto's van voor hun publiciteit.' Frida Malakovic reageert met een afwezige blik. Zij is met haar gedachten nog bij de zandfiguren en de boekpresentatie en kan niet zo snel omschakelen. 'O, is de zee vuil dan? Sinds wanneer?' Mark wordt rood van boosheid. 'Kijkt u dan geen tv?' zegt hij geïrriteerd. Donya knijpt Mark in zijn arm. Zij wil voorkomen dat hij Frida Malakovic van zich afstoot, net nu zij misschien wil helpen om handen en voeten aan haar idee te geven. 'Niet zo snauwerig, jongen,' zegt Frida Malakovic met gemaakte boosheid, waarbij ze Mark met opgetrokken wenkbrauwen aankijkt. Mark voelt zich ongemakkelijk. De kunstenares trekt aan haar sigarenpijpje en blaast een wolk over Marks hoofd. Alsof ze Marks chagrijnige opmerking over diens hoofd wil wegblazen. 'Als je het weten wilt, televisie kijken doe ik niet. Televisie vind ik een onding. Maar ik heb natuurlijk over de ramp gehoord. Het lijkt mij prima, als jullie actie willen voeren. Ik ben altijd in voor wat beweging in de stille Walcherse keuken. Niet waar Klaas?' Ze slaat haar arm om de fotograaf. 'En als Klaas jullie helpt doe ik ook mee.' Terwijl zij staan te praten vertrekken de eerste bezoekers van de tentoonstelling. Zij willen afscheid van de kunstenares nemen. 'Kom maar een keer terug, dan praten we erover,' zegt ze en wendt zich tot haar gasten.

Over het binnenduinpad lopen Mark en Donya terug naar hun fietsen bij Dishoek. Hier achter de duinen is bijna niets van de olieramp te merken, Het is een klare voorjaarsdag. Het frisse groen van de akkers steekt scherp af tegen de blauwe lucht. Een groepje paarden geniet van het verse gras in hun weiden. Alleen het verre gebrom van zware machines op het strand geeft aan dat er iets ernstigs gaande is. Op de wegen naar het strand rijden de vrachtauto's af en aan, druipende specie van zand en olie morsend.

Donya haast zich om op tijd thuis te zijn. Mark fietst met vlinders in zijn buik naar huis. Het begint tot hem door te dringen dat Donya hem het beslissende duwtje voor zijn actie heeft gegeven. Thuisgekomen probeert hij haar fantasie wat uit te werken in een opzet voor een actie.

Als hij laat in de avond in zijn bed stapt heeft hij veel om over na te denken. Niet alleen over de actie. Donya heeft hem op de terugweg van het strand verteld hoe ze in Nederland terecht is gekomen. Haar moeder was journaliste en werkte voor een krant die kritisch was tegen de regering in Iran. Op een dag werd moeder gebeld voor een interview op een kantoor ergens in Teheran. Daarvan is ze nooit weer teruggekomen. Via via hoorde Donya's vader dat zij ergens vastgehouden werd. Maar zij hebben nooit gehoord waar precies en door wie. Op hun vragen kregen ze geen antwoord. Twee maanden later kwamen er in de nacht drie mannen in burgerkleding die Donya's vader meenamen. Na een paar uur kwam hij weer terug. 'We moeten direct weg. Het land uit,' had hij gezegd. Hij was ondervraagd en bedreigd. Hij wist dat het daar niet bij zou blijven en dat hij opnieuw zou worden opgepakt. Met hulp van vrienden zijn ze na een dagenlange voetreis de grens overgestoken. Haar vader, zijzelf en haar zusje konden per boot Griekenland bereiken en daarna met een vliegtuig Amsterdam. Daar hebben ze asiel aangevraagd. Dat heeft een tijd geduurd, maar na lang wachten in een opvangcentrum hebben ze een verblijfsvergunning gekregen en kon haar vader een woning en een baan vinden in Nederland, bij de scheepswerf in Vlissingen. 'Je spreekt anders goed Nederlands,' had Mark gezegd. 'Dat was het eerste wat mijn vader en ik hebben gedaan. Het was voor ons al direct duidelijk dat we niet snel naar Iran zouden kunnen terugkeren. Mijn vader heeft een landgenoot gevonden, die als tolk in Nederland werkt. Die heeft ons Nederlands geleerd. Om het goed te oefenen dwingen mijn vader ik elkaar zoveel mogelijk in het Nederlands te praten, en op school oefen ik steeds in spreken, lezen en schrijven. Soms mis ik nog wel een woord, zoals die 'nachtmerrie' van jou.'

'En je moeder? Wat is er met haar gebeurd?' had Mark gevraagd. Bij die vraag schoot Donya vol. Met snikkende stem zei ze: 'Mijn moeder is dood. Wij kregen een kort bericht van de autoriteit in ons dorp dat ze als gevolg van een infectieziekte in de gevangenis is gestorven. Maar via een medegevangene hoorden wij dat ze van zwakte en uitputting is gestorven.' Mark had haar arm over Donya heen geslagen, haar schouders schokkend tegen zich aan. Dit ging nu allemaal door hem heen.

4

Een monster uit zee

De volgende ochtend wacht Mark in het computerlokaal een koude douche. Annette probeert hem nog te waarschuwen. Zij knikt met haar hoofd in de richting van het raam, waar Jan Joustra met zijn rug naar het raam op de vensterbank zit, zijn voeten op een stoel. Zodra hij Mark ziet binnenkomen, duwt hij de stoel van zich af en stevent op hem af. De stoel klettert op de grond en de hele klas is direct gealarmeerd. Hij gaat vlak voor Mark staan, zijn baardje omhoog, zodat het bijna Marks kin raakt. Mark ruikt een mengsel van uien en tabak en wendt zijn hoofd af. 'Krijg ik een verklaring van jou voor je afwezigheid gisteren?' sist de docent. Mark heeft zich op een storm voorbereid. Hij heeft zich voorgenomen nu geen problemen met de klassendocent te maken. Dat zou zijn plan alleen maar in de weg zitten. Maar dat valt hem niet gemakkelijk, nu hij zo recht tegenover de leraar staat en zich voor het front van de klas moet verantwoorden. 'Ik was een paar uur aan het strand. Om naar de ramp te kijken. Maar daarvóór heb ik keurig mijn verslag voor het project afgemaakt.' Hij probeert zo min mogelijk emotie in zijn stem te leggen, in de hoop een conflict te vermijden. Jan Joustra wil op zijn beurt de situatie in de klas niet laten escaleren. Hij wil vasthouden aan het tijdig uitwerken van het schoolproject en kan geen ruzie met zijn beste leerling gebruiken. Want zij mogen dan wel vaak met elkaar overhoop liggen, Mark is verreweg de beste leerling in zijn vakgebied. Mark is een bioloog in wording. Hij kan een eminente student worden, dat staat voor Jan Joustra wel vast. 'Dat heet ongeoorloofd verzuim,' zegt hij. Hij probeert de zware boodschap zo licht mogelijk te laten klinken. 'Wij noemen dat ook wel spijbelen.' Mark slikt. Ook hij wil het per se niet op het spits drijven. Hij moet zich beheersen. De ogen van de hele klas zijn nu op hem gericht en dat maakt het niet gemakkelijk om berouwvol te doen. Zijn klasgenoten zitten te wachten op een spannend onderonsje tussen hem en de docent. Maar die lol wil hij ze vandaag niet gunnen. Hij heeft nu wel wat anders aan zijn hoofd. 'Nogmaals,' zegt hij, 'ik ben naar het strand geweest. Ik wilde de ramp met eigen ogen zien.'

Mark voelt zich duidelijk ongemakkelijk. Hij praat in afgemeten zinnetjes die er strak uitkomen. Zo tegenover Jan Joustra staand, met diens baardje onder zich, komt er ineens een opwelling in hem op: een flinke klodder spuug op het kale voorhoofd deponeren en dan stevig aan zijn baard rukken. Meer van de zenuwen dan van de lol komt er een lach op, die hij met moeite wegdrukt. 'Er is een actiecentrum in de Zeester ingericht. Daar worden de acties gecoördineerd,' zegt hij en hij kijkt Jan vragend aan. 'Hebben wij nu samen een probleem?' Tegelijk dat hij het zegt beseft hij dat het niet de goede woordkeus is. Het antwoord is te verwachten. 'Niet wij samen, jij hebt een probleem,' zegt de docent. Mark probeert kalm te blijven, maar dat lukt hem niet goed. 'Kunnen we het niet beter over die olie-ellende hebben, in plaats van doorzeuren over mijn afwezigheid? Hallo zeg, er is een ramp aan de gang!'

'Verklaar je nader. Ik luister,' zegt Jan Joustra ijzig. Hij wil de rust bewaren voor het front van de klas. Mark ruikt zijn kans: 'Ik heb een idee voor een actie van onze klas tegen de vervuiling.'

'Onze klas?' reageert Jan Joustra, een tikkeltje pesterig. 'Of jij alleen?'

Mark zoekt met zijn ogen steun bij Peter en Annette. Ze staan aan zijn kant. Daar kan hij op rekenen. Waarschijnlijk ook op Tooske Hamelink, die zit weliswaar in een ander groepje, maar met haar heeft hij ook een goede band. Van de rest van de klas moet hij het maar afwachten. Jan Joustra doet een stap terug, zodat er wat meer ruimte tussen hem en Mark ontstaat. Tegelijk is er daardoor minder dreiging in hun houding. Jan Joustra ontspant zich wat: 'We kennen jouw eigengereidheid natuurlijk wel,' zegt hij rustig, 'Maar je moet niet te ver gaan.' Mark voelt dat de spanning wat afneemt. 'Ik vind juist dat jij niet ver genoeg gaat!' werpt hij tegen. 'Jij laat ons hier gewoon hier zitten, terwijl de zee vergiftigd wordt. En dan maar een leuk projectje maken over het leven in de zee. Prachtig hoor!' roept hij cynisch uit.

De biologiedocent wrijft onrustig over zijn baardje. De toon bevalt hem niet, maar dat gaat vaak zo tussen hem en Mark. Mark heeft wel iets te melden, dat ziet hij ook wel in. Mark is geen kretoloog die maar wat roept. Maar hij moet als klassenleraar rekening houden met de hele klas, die het debat tussen hen natuurlijk oplettend volgt. Hij kan Mark nu niet ineens alle ruimte geven en zo het risico lopen dat het schoolproject volledig uit de hand loopt. En dat gevaar is er. Wie weet waar een wilde actie van de klas eindigt? Toch besluit hij Mark een opening te geven: 'Waar zit je nu precies mee, Mark? Gooi het er nu maar helemaal uit.'

Mark haalt adem. 'Wij zitten hier binnen de muren van de school aan een zeeproject te werken. Dat gaat over het léven in de zee.' Hij priemt met zijn wijsvinger naar buiten. 'Maar dáár gaat alles dood. De zee wordt onder onze ogen vergiftigd. Wij staan erbij en doen niets. Ik vind dat wij daartegen moeten opkomen. Dat is mijn punt.' Mark richt zijn vinger naar de borst van zijn docent.' Ik vind dat we van jou, zeker als docent biologie, mogen verwachten dat je daarin voorop gaat en niet alles bij voorbaat afremt.'

'Wat rem ik volgens jou nou precies af? Dat wil ik dan wel eens weten. Tot nu toe heb ik nog geen zinnig voorstel van je gezien.'

Mark neemt de ruimte die Jan Joustra hem nu geeft. 'Ik stel voor dat we een actie gaan voeren. Ik zei net al, ik heb gisteren niet stil gezeten en een voorstel gemaakt.' Van het tafeltje van Peter klinkt instemmend geroffel van vingers op het tafelblad. Jan Joustra negeert het. 'Wat verwacht je nu van mij?' vraagt hij. 'Ik zal toch eerst moeten weten wat je precies in je hoofd hebt.'

'Ik verwacht dat je ons helpt een actie op te zetten. Of tenminste ons die kans geeft, en niet blijft eisen dat we zo maar doorwerken aan ons project.' Mark knikt met zijn hoofd naar de wand waar het werkschema van het project hangt. 'Dat moet worden veranderd in een actieschema!'

'Nogmaals Mark. Ik daag je uit om het hard te maken. Maar houd er rekening mee dat een schoolklas geen actiegroep is,' zegt Jan Joustra. 'Ik voel mij als klassendocent duidelijk door jou aangesproken. Maar je moet wel weten dat je het volslagen mis hebt als je denkt dat die olieramp mij koud laat!' Mark springt er direct in. Hij grist een vel papier van zijn tafel. 'Oké, je vraagt erom. Hier is mijn voorstel.' Jan Joustra laat zijn ogen snel over het papier glijden. Het is de ruwe opzet voor een actie die Mark gisteravond heeft gemaakt. Jan Joustra geeft het papier aan Geke van der Wal. Intussen probeert hij de stemming in de klas nog eens te peilen. Hij heeft al gezien dat Annette en Peter het met Mark eens zijn. Waarschijnlijk voegt ook Tooske zich erbij. Er zijn er nog een paar van wie hij vermoedt dat ze mee willen doen. De overigen zullen, zoals dat meestal gaat, de kat eerst uit de boom willen kijken. Hij staat in dubio. Hij heeft zijn verantwoordelijk niet alleen naar de klas, hij moet ook rekening houden met de directie en de ouders. Hij wisselt een snelle blik met Geke van der Wal, die het stuk van Mark nu ook gelezen heeft. Ze begrijpt dat Jan Joustra haar steun zoekt. Ze zoekt een diplomatieke oplossing en richt zich eerst tot Mark. 'Knap stukje werk, Mark,' begint ze. 'Maar nog wel wat vaag. Misschien kun je het nog wat toelichten. Dan kunnen we het ook allemaal horen.' Mark kijkt haar opgelucht aan. Nu kan hij zijn gang gaan. Hij begint met uit te leggen wat er door hem heen ging tijdens het bezoek aan het oliestrand en hoe de gedachte aan het voeren van actie bij hem opkwam. Hij vertelt over de kennismaking met de kunstenares en de fotograaf op het strand. En over het idee om een reportage te maken met een foto en een verhaal. Dat heeft hij gisteravond uitgewerkt en op papier gezet. Hij vertelt ook dat Frida Malakovic en Klaas Oldenburg hun medewerking hebben toegezegd. Donya laat hij weg uit zijn toelichting. Hij wil de indruk vermijden dat hij voor een leuk avontuurtje gespijbeld heeft. Maar er is nog iets anders dat hem weerhoudt haar nu in zijn verhaal te betrek-

ken. Iets waarvoor Donya hem gisteren zelf heeft gewaarschuwd. 'Houd er rekening mee, Mark,' zei ze, 'dat
niet iedereen zal accepteren dat iemand van buiten zich
met jullie zaken bemoeit. En zeker niet iemand met
een allochtone achtergrond. Dat kan tegenwerken.' Hij
heeft dat meteen weggewuifd, maar Donya heeft hem
voorbeelden gegeven vanuit haar ervaring. Nu hij voor
de klas staat lijkt het hem veiliger die raad op te volgen.
Ook al stuit het hem tegen de borst. Hij had haar graag
geïntroduceerd, omdat zij tenslotte de bedenker is van
het verhaal, maar voor de goede zaak moet het maar.
'Het komt er dus op neer dat we ons project ombuigen naar een actie tegen de vervuiling van de zee,' rond
hij af. 'Als reactie op de ramp. Volgens mij is dat goed
in ons project in te passen.' Hij kijkt de klas rond en
ziet peinzende blikken. Geke van der Wal reageert het
eerst. 'Als ik het even in zijn kern samenvat wil je dus
aan ons project een apart hoofdstuk toevoegen over de
vervuiling van de zee. En daarnaast een stuk voor de
media maken, met foto's van een pop die de vervuiling
symboliseert.'

'Dat is een prima samenvatting,' stelt Mark vast.
'Maar er komt nog iets bij. Ik denk ook aan een demonstratie van onze klas. In de stad.' Het woord demonstratie heeft zijn lippen nog niet verlaten of Jan
Joustra springt op. Het woord 'demonstratie' werkt als
een bijensteek op hem. 'Demonstratie?' Hij spuugt het
woord bijna uit. 'Wat zullen we nou krijgen?'

'Ja, een de-mon-stra-tie,' herhaalt Mark expres langzaam articulerend. Hij weet dat dit de kern van zijn
idee is. En dat het schrikken is voor sommigen, zeker
ook voor Jan Joustra. Hij probeert zo onverstoorbaar
mogelijk te lijken. 'Dus een demonstratie van onze

klas', herhaalt hij, 'waarbij wij informatie geven over de vervuiling van de zee en aandacht vragen voor de ellende die dat veroorzaakt.' Jan Joustra wrijft heftig over zijn baardje en staat op het punt te reageren. Geke wil hem vóór zijn om de situatie niet onwerkbaar te laten worden. 'Hoe stel je je dat voor, Mark?' Geke is op de universiteit van Amsterdam wel wat gewend. Daar werd vaker gedemonstreerd. Kort geleden nog massaal tegen de verlaging van de studiebeurs.

'Gewoon hier in Middelburg,' antwoordt Mark.

'Maar bij welke instantie dan?' vraagt Geke verder. Mark heeft zijn huiswerk gisteren goed gedaan. Op internet heeft hij uitgezocht wie er verantwoordelijk is voor het inspecteren en schoonhouden van de zee en de stranden. Dat bleek nog niet zo eenvoudig te zijn. Verdeeld over meerdere instanties. Daarom houdt hij zich op de vlakte: 'Dat is eigenlijk niet zo belangrijk voor onze demonstratie. We moeten door de stad lopen en daar aankloppen waar het maximale aandacht trekt. Bijvoorbeeld bij het stadhuis.'

'Als het om de meeste aandacht gaat moeten we naar de kerncentrale in Borssele,' mengt ineens Tooske Hamelink zich in de discussie. Zij heeft zich tot nu toe niet zo laten horen in het zeeproject; het heeft haar belangstelling niet. Maar ze geniet ervan dat Mark zich zo fier opstelt en ze wil solidair met hem zijn. Tooske is een beetje een eenling in de klas. Daar komt bij dat ze zo haar eigen buitenschoolse bezigheden heeft, die in de klas met een scheef oog worden bekeken. Zij speelt saxofoon en treedt veel op in jazzclubs. Het resultaat is dat Tooske niet bepaald een ochtendmens is en dan chagrijnig door het gebouw marcheert met haar zwarte laarsjes, dito leren jas en altijd zwaar opgemaakt, elke dag een andere kleur. Maar muziek maken kan ze, en leren ook, vooral wis- en natuurkunde. Met haar artistieke uiterlijk en haar excentrieke gedrag maakt dat haar tot een bijzondere persoonlijkheid in de klas. Nu het woord 'demonstratie' valt, veert ze op. Leven in de brouwerij, dat trekt haar aan. 'In Borsele ben je tenminste zeker van aandacht van de kranten en de televisie', zegt ze. 'Maar dan moet onze demonstratie wel spectaculair zijn, met veel muziek en interessante dingen. Lawaai, kleuren, gekke toestanden, verkleedpartijen, kijk naar carnaval. Veel beweging. Dat máákt het.' Geke schrikt van Tooskes suggestie. Ze kapt Borssele direct af. 'Dát moet je zeker niet doen. Er is een politieke discussie aan de gang over kerncentrales, ook over Borsele. Als je daar nu zou gaan demonstreren gaat alles door elkaar lopen. Iedereen is bang voor die centrales. Er is altijd iets mee aan de hand. Lekkages, scheuren, dat soort dingen. Als je daar gaat demonstreren krijgt je direct de hele wereld over je heen, en dat niet op een leuke manier.' Zij ziet al voor zich hoe de Mobiele Eenheid van de politie keihard optreedt tegen demonstranten die zich aan het hek van de kerncentrale vastketenen. Daarbij vallen harde klappen.

Mark haalt adem. Zijn eerste doel is nu bereikt. Er is een discussie op gang gekomen over een actie. Jan Joustra ziet dat Mark behoorlijk wat steun vindt in de klas. In zijn hart zou hij zich nu ook wel minder halsstarrig willen opstellen, maar zijn verantwoordelijkheid als klassenleraar tegenover de school en de ouders weegt zwaar. Hij hoeft daar niet aan te komen met dit soort ideeën in het eindjaar van zijn vwo-klas. Hij moet proberen de zaak af te remmen, voordat het uit de hand loopt en er geen terug meer is. Maar Mark is een stevige tegenstander. Dat weet Jan Joustra al te goed. Toch moet hij nu ingrijpen: 'We zijn geen milieuactivisten,' zegt hij. 'Daar heb je clubs als Greenpeace voor. Wij zijn maar een doodnormale klas op een doodgewone school met een simpel eindproject.'

'Twee keer dood, achter elkaar. Taalkundig niet zo fraai,' reageert Peter met zijn bekende grijns van oor tot oor, 'maar wiskundig wel aardig want een dubbele ontkenning is positief. Nietwaar Tooske?' Maar voordat deze kan reageren zegt Geke: 'Kom, Peter, mag het nu ook even zonder flauwe grappen? Graag wat meer respect voor Jan. Hij heeft zijn eigen verantwoordelijkheid naar de school en jullie ouders. Jullie mogen hem niet kwalijk nemen dat hij daaraan denkt. Dat is gewoon zijn taak.'

'Maar is het zo'n raar idee dat wij onze stem laten horen tegen de vervuiling van de zee?' vraagt Annette. Ze is gaan staan en doet een paar stappen naar voren, met haar handen haar blauwe zweefjurk meetrekkend. 'We zitten er met onze neuzen bovenop! Het zou toch niet te begrijpen zijn als wij een werkstuk maken over de zee en niets van ons zouden laten horen terwijl diezelfde zee door een olieplas wordt vervuild?'

Terwijl de discussie in de klas voortgaat laat Geke van der Wal de situatie op zich in werken. Net als Jan Joustra voelt ook zij haar verantwoordelijkheid als docent, maar zij wil wel meegaan met het voorstel van Mark. Daarbij komt dat ze zich tot die jongen met zijn donkere lokken en vurige blik aangetrokken voelt. Ze heeft de stellige indruk dat hij goed weet waar hij heen wil en het ook kan bereiken. Maar ze moet ook solidariteit opbrengen met Jan Joustra, in zijn rol als klassenleraar en lid van het docententeam. Hij kan worden aangesproken op het vertrouwen dat de school en de ouders in hem stellen, als bewaker van de belangen van hun kinderen. Geke peinst op een oplossing. Ze wil wat tijd winnen. Misschien komt er dan een oplossing boven drijven waarmee Mark verder kan en waarmee ook Jan Joustra kan leven. 'Zeg eens klas,' begint ze. 'We hebben Mark net gehoord. Hoe kijk jullie er tegen aan? Hoe zien jullie zo'n demonstratie? Kan het een onderdeel zijn van ons schoolproject? En hoe dan?'

Zoals dat vaak gaat durft niemand meteen op zo'n directe vraag aan de groep te reageren. Annette is de eerste. 'Wat Tooske daarnet zei vind ik wel inspirerend. Niet haar voorstel om naar Borsele te gaan, maar wel haar idee voor een optocht door de stad met het nodige vertoon. Spandoeken, muziek en flyers voor de mensen op straat die komen kijken. En een persbericht voor radio en televisiemensen, die vinden dat altijd wel interessant. Een verslag daarvan kunnen we aan ons eindrapport toevoegen.'

'We moeten absoluut de aandacht van de bevolking en van de pers trekken,' onderstreept Tooske. 'Met muziek en spandoeken, dat soort dingen. Zonder dat heeft een demonstratie geen zin.' Mark voelt zich nu sterker worden. Hij heeft wel het woord 'demonstratie' ingebracht, maar absoluut nog niet aan de uitwerking gedacht. Hij kijkt Tooske dankbaar aan. 'Goed punt,' zegt hij. 'Het stikt hier van de journalisten die de olieramp verslaan. Die zijn natuurlijk ook geïnteresseerd in een manifestatie tegen de olievervuiling, als wij die met voldoende spektakel organiseren.'

'Daar zeg je wat,' verzucht Jan Joustra met een zorgelijke trek op zijn gezicht. 'Spektakel. Dat is precies mijn probleem. Dat loopt makkelijk uit de hand. Wij hebben niet de kennis en de ervaring om dat goed te doen. Waarom niet veel eenvoudiger? Waarom gaan jullie niet zelf helpen met schoonmaken op het strand? Dat is ook een vorm van actie.' Zijn woorden treffen geen doel meer. De discussie is al te ver gevorderd. Het hek staat open. Mark weet dat ook en zet nu door. 'Met emmer en schepje zeker,' smaalt hij. 'Dat helpt echt niet man! Je moet zelf ook maar eens gaan kijken. Het wemelt er van de bulldozers die voortdurend het strand schoonschrapen. Dan loop je alleen maar in de weg met je schepje.' Jan Joustra laat deze sneer van Mark voor wat het is. Hij wenkt Geke met zich mee naar de gang. Hij heeft behoefte aan onderling overleg. Hij ziet in dat hij de actie van zijn klas niet in de weg kan blijven staan. Bezorgde scholieren die de zee bij hun eiland vervuild zien en de vogels zien sterven en actie willen voeren, dat spreekt ook hem wel aan. Hij zou anders een eigenaardige biologiedocent zijn. Maar hij is benauwd voor de consequenties; een wilde actie van zijn scholieren kan behoorlijk uit de hand lopen. Nog niet zo lang geleden demonstreerden een paar scholieren voor de school tegen nieuwe lesroosters die teveel eisten van de leerlingen. De Middelburgse politie maakte er toen met harde klappen van de wapenstok een eind aan. Dat haalde het landelijk nieuws: nare beelden van slaande politiemannen en van pijn krimpende scholieren. Dat was geen fraai gezicht en heeft nog lang negatief doorgewerkt. Dat staat Jan Joustra nog scherp voor ogen. Die gebeurtenis heeft diepe sporen op school en in de stad nagelaten.

Intussen voert ook Mark overleg in de klas. Ook daar is verdeeldheid. Annette, Tooske en Peter gaan ervoor, maar in de andere groepen zijn de voor en tegenstanders gelijk verdeeld. Tooske is op een stoel gaan staan en staat vurig te pleiten voor een stevige demonstratie. Maar haar draagvlak in de klas is niet groot genoeg om iedereen te overtuigen. Ze wordt te excentriek gevonden met haar lange paars geverfde nagels, zwarte leren jas en opgesierde spijkerbroek. Om haar heen hangt de geur van jointjes en de sfeer van donkere jazzclubs. Het beeld berust nauwelijks op werkelijkheid, maar zo gaat dat vaak met beelden van mensen, die bijzondere dingen doen en de jaloezie opwekken door hun zelfstandigheid; er wordt van alles bij gefantaseerd.

Als Jan Joustra zijn overleg met Geke van der Wal heeft afgerond roept hij de klas weer bij elkaar. 'Ik heb mijn twijfels,' begint hij, 'dat hebben jullie wel gemerkt. Daarom heb ik er behoefte aan om met de directie te praten. Ik wil dat best vanuit een positieve houding doen. Maar ik heb daarbij wel een voorwaarde. Als er een actie komt, mag niemand worden verplicht mee te doen.'

'Doe ik dat dan?' vraagt Mark, die zich aangesproken voelt.

'Dat zeg ik niet. Maar iedereen moet zich vrij kunnen voelen. Sommigen schrikken terug voor een actie, anderen mogen misschien niet van thuis. Weer anderen hebben er gewoon geen zin in. Dat moet gerespecteerd worden.' Jan kijkt de groep langs om te zien of zijn woorden goed doordringen. 'En, als er een actie komt, eis ik van iedereen dat we ons eindproject daarna gewoon op tijd gaan afronden, zodat wij niet achterop raken in het lesprogramma. Besef wel mensen, dat kan dagen en avonden hard doorwerken worden.'

Mark zucht diep. Deze slag lijkt gewonnen. Met dank aan Donya, die hem heeft gesterkt in zijn idee om actie te gaan voeren. Maar Jan Joustra en Geke van der Wal zetten toch de rem er nog op. 'Ik wil het eerst toetsen bij de directie en de ouders,' zegt Jan Joustra. 'Jullie kunnen het plan verder uitwerken en dan kan Mark, en eventueel een delegatie, mee naar de directeur om het zelf uit te leggen.'

'Maar dat kost weer veel tijd,' werpt Mark tegen. Jan Joustra wuift dat weg. 'Niet als jullie snel werken. Ik probeer een afspraak met de directeur te maken voor morgenochtend. Dan hebben jullie de rest van de dag voor de uitwerking. Ik móet een goed plan bij me hebben, op papier. En dat moet meer zijn dan dat stukje tekst dat Mark net aan ons liet zien.'

Van de vierentwintig leerlingen in de klas zijn er na lang praten een stuk of zes die er niets in zien zitten en liever gewoon het project afwerken. Ze willen geen problemen in hun laatste schooljaar en zien op tegen het organiseren van een demonstratie. In de loop van de dag komt de notitie voor het overleg van Jan Joustra met de directeur gereed. Het plan bevat de volgende onderdelen: een demonstratie door de stad naar het stadhuis; spandoeken; muziek; een persbericht voor de kranten; radio en tv zullen worden uitgenodigd. De actie zal een ludiek karakter krijgen. Het hoofdthema is de vervuiling van de zee. Ook worden de namen genoemd van de leerlingen die meedoen. Dan kunnen de ouders door de school worden geïnformeerd. Dat was een eis van Jan Joustra.

Tegen de avond zoekt Mark contact met Donya. Ze eten samen in een eethuisje op de Markt. Hij vertelt haar hoe het die middag is gegaan. 'Ik heb ook nog wat doorgedacht over jullie actie,' zegt ze. 'In Iran worden bepaalde problemen vaak in de vorm van vertellingen aan de orde gesteld. Ongeveer zoals in sprookjes. Daar kunnen de machthebbers niet veel tegen doen en je kunt via een vertelling toch laten weten waar het je om gaat. We moeten daar maar snel met Frida Malakovic en Klaas

Oldenburg over gaan praten. Als jij het goed vindt dan wil ik het verhaal wel schrijven.' Mark kijkt haar vragend aan. 'Vanavond vergaderen we met de hele klas. Zou jij er dan iets over kunnen zeggen? ' Donya staart hem aan.

'Ik? In jouw klas? Ik weet niet of dat wel een goed idee is.'

'Omdat je buitenstaander bent?' Donya knikt. 'En een buitenlander.'

'Maar ik introduceer je toch?'

'Als wie?'

'Als mijn vriendin die uit Iran komt, veel aan toneel-spel heeft gedaan, daar veel geleerd heeft over het ver-tellen van verhalen, ook erg geraakt is door de olieramp en ons graag wil helpen. Is dat genoeg?' Donya glim-lacht haar liefste lach. Ze kan het Mark niet weigeren. Ze snapt dat hij haar hulp nodig heeft. En waarom ook niet? Ze pakt zijn hand. 'Oké, ik doe het.'

Jan Joustra heeft het biologielokaal die avond beschik-baar gesteld. Iedereen is komen opdraven, tot Marks verbazing ook de tegenstanders van de actie. Ze zijn blijkbaar toch nieuwsgierig. Peter heeft op een flip-over een paar trefwoorden voor een demonstratie gezet: een optocht door de stad met een wagen, als olieslachtoffers verklede demonstranten, spandoeken, vlugschriften om uit te delen, en muziek om de aandacht te trekken. Mark staat ernaast. 'Ons voorstel is dus om een actie te houden tegen de vervuiling van de zee door middel van een demonstratie.' Hij komt wat moeilijk op gang. Zijn mond is droog, hij likt met zijn tong over zijn lippen. 'Voordat wij vanavond ons plan gaan bespreken wil ik jullie graag aan Donya Farimi voorstellen. Donya is mijn Iraanse vriendin. Zij zit niet bij ons op school, maar was ook op het strand om naar de olieramp te kijken. Zij heeft gesproken met de kunstenares Frida Malakovic en de fotograaf Klaas Oldenburg, die een kunstwerk op het strand hebben gemaakt. Dat heeft Donya geïnspireerd tot een idee, dat wij goed in onze actie kunnen gebruiken. Ik heb Donya gevraagd of zij dat vanavond aan ons wil vertellen.'

Ogenschijnlijk uiterst kalm gaat Donya voor de klas staan. Ze weet haar zenuwen goed in bedwang te houden. Ze houdt van acteren en is al heel jong in Iran toneel gaan spelen in een amateurgezelschap. Ze heeft een mooie slepende, diepe stem en ondersteunt haar verhaal met sierlijke handgebaren. 'Zoals Mark zegt, we waren op een stuk strand dat nog niet door de olie was vervuild. Een kunstenares had een paar figuren van zand gemaakt en stond met een fotograaf op de vloed te wachten. De bedoeling was dat de opkomende zee de figuren langzaam zou laten afbrokkelen; daarvan werden foto's gemaakt voor een boek. Terwijl Mark en ik naar die zandmensen keken, vloeide het water al wat op en begon een van die figuren te verkruimelen en in zee weg te zakken. Bij mij kwam een fantasie op waarin, als in een droom, zo'n zandpop ineens tot leven komt en op ons afkomt. Het was maar een illusie natuurlijk, maar toen ik er wat verder over doordacht kwam er een idee bij mij op. Mark had mij verteld dat hij van plan is een actie te voeren tegen de vervuiling. Ik dacht dat jullie mijn fantasie wel zouden kunnen gebruiken voor een vertelling, waarin er een oliemonster uit zee komt om ons te waarschuwen voor de vervuiling van de zee. Ik heb het nu wat verder uitgewerkt. Dat gaat zo.' Ze scheurt snel een paar repen zwart crêpepapier van een vel en hangt die als slierten om haar schouders. Peter, die vooraan in de rij zit, schiet onwillekeurig in de lach en probeert een grap. 'Nieuw in dit theater,' roept hij, 'komt dat zien, het Iraanse zeespook in levenden lijve'. Niemand lacht. Peter krijgt een rood hooft en beseft dat de grap zich tegen hem keert. Mark kijkt zijn vriend verbijsterd aan, maar onderdrukt zijn opkomende woede. Tooske, die naast Peter zit, rukt haar elleboog opzij en raakt hem venijnig in zijn bolle maagstreek.

Donya echter lijkt er zich niets van aan te trekken. Zij staat in diepe concentratie en begint dan. 'De pop kwam tot leven en liep op mij af. Hij deed een paar logge stappen in mijn richting en begon tegen mij te praten. Met een rare holle stem. Een schrille spookhuisstem. 'Ik moet jou waarschuwen,' kraste hij over het strand. Met een bang stemmetje hoorde ik mijzelf vragen: 'Wie bent u?'

'Ik ben het Oliemonster', zei de zandfiguur.

'Oliemonster?' herhaalde ik vragend, 'wat wilt u van mij?' De zandfiguur blies een stinkende walm verbrand rubber uit. 'Ik ben opgestaan uit het zand om je te waarschuwen voor wat er gaat gebeuren als jullie mensen alles blijven vergiftigen wat er in de zee leeft.' Zijn stem klonk dreigend. Al het zand was nu van zijn gestalte afgebrokkeld. Als een losse huid hingen er flarden om hem heen. Het zag er eng uit. Zijn hoofd bedekt met slierten zeewier, vies slijmerig met een groene lichtgevende kleur. Zijn handen vol wratten en zweren en zijn ogen waren vuurrood, met gele flitsen erin. Het leek wel alsof ze vuur spuugden. Hij deed nog een paar stappen naar mij toe. Zijn lippen waren van gesmolten plastic en uit zijn mond kwam een stank van verbrand rubber. 'Als jullie zo doorgaan met het vergiftigen van de zee,' vervolgde hij, 'zullen jullie er allemaal straks net zo uitzien als ik. Een vreselijke toekomst zal het zijn. Zo erg dat jullie het je niet eens kunnen voorstellen. Alles wordt aangetast en mismaakt. En het is jullie eigen schuld, dan hadden jullie maar beter moeten opletten.'

'Wat bedoelt u?' vroeg ik. 'Doe niet zo dom,' zei het monster. 'Begrijpen jullie dan niet wat jullie met zijn allen aan het doen zijn? Het is begonnen met het morsen van gif en andere smeerboel in die smerige fabrieken van jullie, dat jullie gewoon in de grond of in de rivieren wegspoelen. Ach, wat geeft het, dachten jullie, dat kan toch niet veel kwaad? En een beetje olie overboord pompen, daar heeft toch niemand last van? Een paar vaten atoomafval in zee dumpen, ach dat kan toch best? Af en toe een paar containers met gif verliezen, dat merkt toch niemand? Maar al vlug spoelen de eerste dode zeehonden aan op jullie stranden, overdekt met etterbuilen en door gif verschroeide ingewanden. En dan worden er steeds meer vissen gevangen met kankerbulten op hun vel, en er sterven vogels met vreselijke huidziekten. Maar jullie gaan gewoon door met jullie viezigheid. En dan worden het honderden dode zeehonden en duizenden dode vogels, en de hemel weet hoeveel dode vissen. Grote stukken van de zee raken compleet vergiftigd, er leeft geen krab, geen garnaal, geen mossel meer. En jullie doen er niets aan! Ja, nóg meer gaten in de zeebodem boren om er olie en gas uit te zuigen, nog meer ongelukken met olieschepen en lekkende leidingen. Nóg meer afval overboord zetten en nog grotere netten om de zeebodem leeg te schrapen. Het houdt niet op, elke dag, elke maand, elk jaar weer meer. Steeds meer zee en strand verwoest door olie en gif. Van de Noordpool tot de Zuidpool zijn jullie bezig de aarde open te krabben, leeg te zuigen, op te pompen en te verpesten! Al wat leeft wordt door jullie bedreigd om nóg weer rotzooi te maken om nóg meer geld te kunnen verdienen. Jullie denken dat het zo door kan gaan. Maar dan hebben jullie het goed mis! Nog even en dan komt de Grote Ziekte in de zee, verwoestender dan de vreselijkste ziekte die ooit in jullie menselijke geschiedenis is voorgekomen. Erger dan de ergste oorlog die jullie ooit met elkaar hebben uitgevochten. Groter dan welke natuurramp die jullie ooit hebben meegemaakt. Zeker, de Grote Ziekte komt eerst langzaam, met kleinere ongelukjes en rampen die jullie nog kunnen bestrijden. Jullie denken dat het nog niet zo erg is. Maar dan worden er meer kankervissen gevangen dan vroeger, er spoelen meer gifhonden en pestvogels aan. Steeds grotere stukken zee zijn dood, zonder enig leven. Maar jullie doen niets. Ja, er zijn een paar goedwillende mensen die zieke vogels en zeehonden verzorgen. Die mensen zien het onheil aankomen. Maar jullie zijn doof voor hun waarschuwingen. Jullie houden wel heel veel kletscongressen over het behoud van de zee. Maar daar komt niets goeds uit. Alleen gepraat en bergen papier. Ondertussen woekert de Grote Ziekte. Die wacht niet op jullie. Die gaat gewoon verder en tast ten slotte alles aan wat in de zee leeft. Dan is het eind niet ver meer: na de dood van de zee, de dood van het land.'

Op dit punt van haar verhaal laat Donya een stilte vallen. Ze houdt haar hoofd gebogen en gaat dan op een andere toon verder. 'Het Oliemonster begon nu steeds sneller tegen mij te praten. Dat moest ook want de vloed kwam steeds hoger, het water spoelde al rond zijn voeten. Maar het was geen gewoon zeewater. Het was een smerige gele brij die ontzettend stonk naar rotte vis. En terwijl de voeten van het monster begonnen te verkruimelen in het smerige water, riep het met een zwakker wordende stem: 'Ik moet nu opschieten, ik word zo dadelijk verteerd door het gifwater dat nu snel opkomt. Jullie mensen voeren een sinistere oorlog, Donya, een oorlog tegen de natuur. Tegen alles wat leeft. Het is een rare oorlog, want de natuur vecht niet terug, heeft geen wapens. Het enige wapen van de natuur is dat jullie ook jezelf vernietigen. En ik, het Oliemonster ben hier gekomen als voorbeeld. Om te laten zien hoe de mensen er dan uit zullen zien. Geen leuk vooruitzicht, nietwaar?' Donya besluit: 'Toen zakte het Oliemonster ineens uit elkaar in de vloed, precies zoals een zandfiguur wegspoelt in het vloedwater. Maar zijn waarschuwing is hartstikke duidelijk. De vervuiling bedreigt de zee. En ons allemaal'

5

De klas komt in actie

Na Donya's verhaal blijft het stil. Mark staat afwach-
tend naar de klas te kijken. Tooske doorbreekt het
zwijgen. Zij staat op en begint te klappen. Aarzelend
volgt de rest. Het gaat niet van harte. Mark weet niet
wat hij ervan moet denken. Misschien heeft hij de
groep overvallen met dit idee en moeten ze er aan
wennen. Misschien ook heeft Peters vervelende grap
toch iets geraakt: namelijk dat Donya niet alleen niet
tot de klas behoort, maar ook uit een heel andere
cultuur komt. Hoofddoekjes en andere culturen zijn
op het Walchria niet voor iedereen de gewoonste
zaak van de wereld. Er zijn maar heel weinig kinderen van buitenlandse herkomst op de school. Tooske
voelt de onzekere situatie goed aan en grijpt daarom
in. 'Mooi verhaal, prima gedaan. Dat maakt indruk.
Dit verhaal moeten we in onze demonstratie meenemen.' Nu komen de tongen los. Het verhaal blijkt
op iedereen wel indruk te maken, maar de tegenstanders van de actie worden niet overtuigd. Zij willen
niet meedoen omdat ze bang zijn voor de gevolgen:
straf van thuis of van school. 'Stelletje angsthazen,'
moppert Mark. 'Alleen meedoen als de baas het goed
vindt. Slap gedoe.' Hij kijkt Peter kwaad aan. 'En
wat haalde jij nou weer in je hoofd met die grap,'
briest hij, 'dat was een rotopmerking!' Peter kleurt

weer en wrijft nerveus door zijn rossige krullen. 'Het spijt me echt. Ik moest lachen om die repen papier om Donya's hoofd, en toen kwam het eruit.' Annette valt Mark bij. 'Hoe dacht je dat Donya zich op zo'n moment voelt, bij zo'n belediging. Want dat was het! Donya was onze gast. Dan doe je dat niet.' Peter staat op. 'Oké, oké, ik ga met Donya praten,' mompelt hij. Annette snuift. 'Dat is wel het minste wat je kan doen.' Mark zit verbaasd naar zijn vriend te kijken. Achter zo'n grappige bedoelde opmerking gaat toch een bepaalde manier van denken over vreemdelingen schuil. Dat had hij nooit achter Peter vermoed. Maar vooroordelen blijken dus ook bij mensen voor te komen van wie je dat niet verwacht. Of zoekt hij er teveel achter? Misschien was het een loslippigheid. Impulsief, zonder na te denken. Zo kent Mark zijn vriend ook. Het duurt niet lang of Peter komt met Donya teruggelopen. Peter lijkt opgelucht, Donya heeft haar arm om heen gelegd. Het is uitgepraat.

Als Mark opnieuw zijn ergernis over de afhakers uitspreekt zegt Donya: 'Ik begrijp iets niet in jullie discussie. Het lijkt wel alsof jullie alleen actie willen voeren als je toestemming van iedereen hebt, de klassenleraar, de directie, de ouders. En iedereen moet per se meedoen. Als iedereen in de wereld zo aan een actie zou beginnen gebeurt er nooit iets.' Het blijft even stil in het groepje. Annette kijkt haar bewonderend aan. Wat een moed heeft dat meisje! Ze is in een vreemde omgeving, ze vertelt haar verhaal, stapt elegant over een belediging heen en confronteert hen nu met hun slappe houding.

Peter prikt intussen een nieuw vel papier op de flip-over.

Daarop schrijft hij:

ZEEHONDEN DOOD DOOR GIF
GIFCONTAINERS OVERBOORD
PLATVIS MET KANKERBULTEN
KUSTWACHT JAAGT OP OLIELOZERS
STOOKOLIE DOODT ZEEVOGELS
WADDENSTRAND DOOR OLIE VERVUILD

'Dit zijn koppen die ik van het internet heb gehaald,' legt hij uit. 'Het is maar een kleine greep. Er zijn nog veel meer van dit soort berichten.' Hij pakt een map van zijn tafel en laat de uitgeprinte krantenknipsels zien. Peter maakt op het eerste gezicht dan wel de indruk van een vrolijke jongen die nergens problemen ziet en te pas en onpas grappen maakt, maar er is ook een andere kant. Hij is een onvermoeibare doorzetter als er een lastige klus geklaard moet worden. Hij heeft in een paar uur tijd het internet doorgegoogeld naar olierampen en tientallen berichten van allerlei sites geplukt. 'Wat denken jullie van deze plaat?' Hij houdt een foto omhoog van een groep kinderen in overalls, die met schrapers en borstels olie van rotsblokken staan te schrobben. Als dwergen die met een tandenborstel een berg schoon willen poetsen Op de achtergrond ligt een grote olietanker die vlak voor de kust doormidden is gebroken. Er loopt een stroom zware olie uit die een groot stuk van de kust van Bretagne bedekt. Op de romp staat de naam van het schip: Ocean Paradise. 'Hoe verzin je het,' schampert Annette. 'Zo'n naam voor een olieschip dat de zee verpest'.

'Mooi gepraat allemaal,' roept Tooske Hamelink. 'Maar ik zou zo langzamerhand wel iets concreets willen gaan doen. Om te beginnen, tegen wie gaan we eigenlijk demonstreren? Tegen de kapitein van de tanker die de olieramp heeft veroorzaakt? Of tegen de oliemaatschappij die de olie en andere smeerboel over zee laat vervoeren?'

Mark beseft dat Tooske een punt heeft Als het doel van de actie niet duidelijk is, kan ook het resultaat niet goed zijn. Maar moet híj het nu weer zijn die een antwoord geeft op de vragen van Tooske? Hij wil dat er meer schouders onder de actie komen. Hij kan niet in zijn eentje alle last van een actie dragen. 'Wat denk jij zelf?' vraagt hij haar. 'Dat is niet zo ingewikkeld,' komt direct het antwoord. Terwijl Tooske tijdens het schoolproject altijd stil was en met haar gedachten ergens anders leek te zijn, straalt zij nu een en al energie uit. 'We weten dat het om een olietanker gaat die ondanks zware averij doorvoer naar Hamburg. Dat is een grote fout van de kapitein. Hij zal zijn straf wel krijgen. Maar achter zijn besluit om door te varen zit een grote oliemaatschappij die er belang bij had dat de olie zonder vertraging in Hamburg zou aankomen. Wij moeten die maatschappij opsporen en daartegen ons protest richten.' Peter steekt zijn vinger op. Ook dàt heeft hij al uitgezocht. Die firma heet 'Petrotec', een afkorting van 'petrotechnische industrie'. Dat bedrijf levert de grondstof voor allerlei chemische producten. Petrotec heeft de tanker gehuurd om ruwe olie uit Zuid-Amerika naar de raffinaderij in Hamburg te vervoeren. Petrotec heeft ook vestigingen in Nederland. In Delfzijl, Rotterdam en ook in Zeeland. In de Sloehaven bij Vlissingen.

'Dat is mooi dichtbij,' constateert Tooske. 'Dat maakt een actie een stuk makkelijker.' Mark kijkt met een mengeling van bewondering en verbazing naar

Tooske. Gekke meid, excentriek, dat zeker, maar hij mag haar wel. Niet als vriendin, maar als een individualist waarmee hij verwantschap voelt. En nu blijkt ze ook ineens een steunpilaar in de aanpak van de actie. 'We kunnen hun kantoor bezetten,' zegt ze, 'op het dak van hun gebouw gaan zitten en een spandoek ophangen. Dat heb ik Greenpeace zien doen. Wat ook goed werkt is dat we ons ook vastketenen aan een hek voor het terrein.'

Mark kauwt op zijn lip. Hij weet dat de klas niet teveel risico's mag nemen en houdt daarom liever vast aan een ludieke demonstratie in Middelburg. Gemakkelijker te organiseren en met minder problemen. Hij hoopt nog steeds dat hij voor een vriendelijke actie de school mee kan krijgen. Dat zou het een stuk eenvoudiger maken. Een harde actie bij de vestiging van Petrotec maakt dan geen enkele kans. Annette steunt hem: 'Van een demonstratie in de stad kunnen wij iets leuks maken. Zeker met dat verhaal van Donya erbij.'

'Iets leuks?' protesteert Tooske nijdig. 'Het gaat om een drama!' Hoe sterk Tooske er ook voor pleit, voor een harde actie schrikken de meesten toch terug. Voor Mark is ook een belangrijke overweging dat hij met een harde actie medestanders dreigt te verliezen, die met moeite over de streep zijn getrokken. Hij zoekt oogcontact met Donya. Zij heeft ook moeite met een harde opstelling. Dat is voor haar verbonden met geweld en bloedvergieten. Zij heeft in Iran gezien hoe een demonstratie door hard optreden van de politie uit de hand kan lopen. Het geluid van sirenes, geblaf van honden en geschreeuw van gewonde en vluchtende mensen gaat nooit meer uit haar hoofd. Tooske geeft zich niet zo snel gewonnen. 'We kunnen ook een hongerstaking houden. Een paar dagen niet eten en drinken. Daar hebben we niemands toestemming voor nodig, weinig organisatie en het is absoluut geweldloos.' Het vooruitzicht van een paar dagen hongeren trekt niemand aan. En ook is er geen direct verband tussen dit actiemiddel en de olievervuiling. Of het moest zijn dat de zieke vogels ook niet meer eten, zoals Tooske nog bitter stelt. Voor Donya is een hongerstaking helemáál het laatste redmiddel dat mensen in problemen nog over hebben. Zij heeft nog maar kort geleden gezien hoe een paar van haar landgenoten door een hongerstaking aandacht wilden vragen voor hun verblijfsvergunning in Nederland. In Vlissingen had iemand zelfs zijn mond dichtgenaaid om duidelijk te maken dat hij niet wilde spreken, en niet eten of drinken. Die mensen konden werkelijk niets anders meer. Het was het enige middel dat hen nog restte. De nood moet wel heel hoog zijn om dat middel als actiewapen te gebruiken.

De klassendiscussie krijgt nu wel een duidelijke richting. Het zal een speelse optocht door de straten van Middelburg worden. Het verhaal van Donya zal erin worden meegenomen. De actie zal worden uitgewerkt in dezelfde groepjes waarmee ze aan hun schoolproject werken.

Mark krijgt dus zijn zin. Maar het geeft hem een gemengd gevoel. Aan de ene kant is hij verheugd dat de actie doorgaat. Aan de andere kant is hij nu ineens actieleider, met de volle verantwoordelijkheid die daarbij hoort. Zo ziet de klas hem. Hij moet accepteren dat hij iets in gang heeft gezet dat hij zelf moet afmaken. Hij weet dat hij niet meer terug kan, en eigenlijk ook niet wil. Hij heeft ergens het verhaal van een psycholoog gelezen die beweert dat de mensen vaak denken dat ze nog de ruimte hebben om over een besluit na te denken, maar dat zo'n besluit vaak al eerder ergens in hun hersens is genomen zonder dat ze zich daarvan bewust zijn. Het dubben heeft dan dus ook eigenlijk geen zin. Het staat al vast, onbewust. Misschien is dat nu bij hem ook zo. Zijn mijmering wordt onderbroken door Andres Adriaansens, die zich eerder een van de felste tegenstanders van de actie betoonde. Hij komt Mark zeggen dat hij zich heeft bedacht en alsnog wil meedoen. Mark kijkt verbaasd naar hem op. Andres is een kleine jongen met een pokdalig gezicht in een bleek gelaat, alsof hij nooit in de zon komt. In de klas is hij een onopvallende figuur die niet veel contacten heeft. 'Vanwaar die bekering?' vraagt Mark, een tikkeltje sarcastisch. 'Ik heb er spijt van dat ik daarnet niet reageerde op die schandalige opmerking van Peter,' antwoordt Andres. 'Naderhand kreeg ik daar een rotgevoel over. Ik vond dat hij Donya onbehoorlijk neerzette.'

'Maar dat is toch nog geen reden om aan onze actie mee te gaan doen?'

'Toch wel. Ik vond dat Donya een goed verhaal heeft en ik wil solidair met haar zijn. Dat heeft zij verdiend. Ik had dat natuurlijk meteen moeten zeggen, maar ik reageer nu eenmaal niet zo snel.'

Mark is maar al te blij met Andres' deelname omdat hij een uitstekende hand van schrijven heeft, en dat kunnen ze goed gebruiken in de actie. Het meedoen moet voor Andres een grote stap zijn. Zijn vader werkt bij de politie. Destijds bij de demonstratie bij de school tegen de nieuwe lesroosters was de politie hard in actie gekomen. Daarbij was ook Andres' vader ingezet en dat heeft Andres maar al te vaak te horen gehad. Dat moet een moeilijke periode voor hem zijn geweest. Thuis en op school. Zo raak je snel in een eenzame positie. Waarschijnlijk heeft Andres zoiets ook in de situatie van Donya herkend. 'Ik heb ook nog wel een idee,' zegt hij. 'Ik heb voor een jongerenclub van een politieke partij wel eens een actieprogramma geschreven. Ik kan mij voorstellen dat we zoiets nodig hebben om aan de burgemeester of een andere autoriteit aan te bieden. Bijvoorbeeld In de vorm van een petitie.'

'Een petitie?' Mark kijkt vragend. Wat komt er nu weer op hem af? 'Een eisenpakket', verklaart Andres, waarin je aangeeft wat je precies verlangt.' Mark beseft opnieuw dat er bij de precieze uitvoering van de actie meer komt kijken dan hij gedacht had. Eigenlijk had hij er helemaal nog niet over gedacht en is nu alle hulp welkom. Eerst van Tooske met haar idee voor muziek en spandoeken en nu Andres met zijn petitie als afsluiting van de demonstratie. Tooske, die sportief over de teleurstelling van het niet doorgaan van haar harde actie is heengestapt, is meteen weer praktisch. 'Wie gaat die petitie aanbieden aan de burgemeester?' Ze wacht geen antwoord af. 'Dat moet Mark doen, die is tenslotte onze actieleider.'

'Ik? Waarom ik?' Mark schrikt op. Het komt weliswaar niet onverwacht voor hem, maar het leiderschap komt nu toch wel erg dichtbij. Tooske spreekt uit wat iedereen denkt. 'Wie anders?' grijnst ze. 'Bij deze formeel door de klas benoemd.' Mark staat er wat onbeholpen bij. Zolang het bij een idee bleef had hij het hoogste woord, maar nu wordt het menens en dat voelt heel anders. Maar hij kan niet terug. Er wordt geapplaudisseerd. De klas vindt het de gewoonste zaak van de wereld. Er komt een zware last op Marks schouders te rusten. Maar hij krijgt niet veel tijd om daarover te piekeren. Annette en Peter hebben al een vlugge schets gemaakt van een demonstratiewagen. Een opgebouwde kar zoals bij carnaval en bloemencorso's, maar dan geen praalwagen, maar een treurwagen. De demonstranten worden verkleed in zelf gemaakte pakken van vissen, zeehonden en vogels die door gif en olie zijn aangetast. Aan de zijkanten van de kar foto's en tekeningen van vervuilde stranden met olieplakken, dode vogels en lijken van zeehonden. Op de wagen allerlei rommel dat op de stranden aanspoelt: lege vaten, plastic flessen, stukken touw, verfblikken en dergelijke. Bij het zien van de tekeningen begint Marks vertrouwen in de onderneming te groeien. Het ziet er spannend uit. Maar is het ook maakbaar? Hoe gaan ze dat doen? Zijn vertrouwen neemt verder toe als uit een telefoongesprek van Donya met Frida Malakovic blijkt dat zij het wel ziet zitten en wil meewerken. De groep kan morgen al in het atelier van de kunstenares terecht om over de actie te praten. 'Het spel is op de wagen,' grijnst Peter. Als hij Marks vragende blik ziet verduidelijkt hij: 'Dat zeggen de wielrenners, als de aanval in de koers begint. Lijkt mij wel toepasselijk.' Er kan een klein lachje af bij Mark. Hij is nerveus; zijn hoofd is al bij het gesprek met de directie, morgen. Hij leunt achterover in zijn stoel, strekt zijn benen, vouwt zijn handen achter zijn hoofd en begint te wippen op twee stoelpoten. Dat is zijn houding om zich even te kunnen ontspannen. Maar veel rust krijgt hij niet. Iemand wil op hoge toon met hem spreken. Het is Ria Maljaard. Ze wil dat hij meegaat naar de gang. 'Naar de gang, waarom?' wil Mark van haar weten. 'Niet iedereen hoeft het te horen,' zegt ze. Ria is een pittig meisje dat graag scherp in debat gaat, net als Mark. Daarin zijn ze elkaars gelijke.

Ria is klein van stuk met kort stekeltjeshaar. Ze praat met snelle driftige gebaren van haar kleine handen. Ze ontwijkt in haar kleding alles wat naar vrouwelijkheid zweemt en het gerucht gaat dat ze ook op vrouwen valt. Op Mark heeft ze het in elk geval helemáál niet begrepen. Ze staat al in de gang, nog voordat hij kan opstaan. Mark volgt haar met een zucht. Hij voelt narigheid aankomen. 'Ik haak af,' zegt Ria bits. Mark voelt een rotopmerking in zich opkomen, zoiets als 'het was mij nog niet opgevallen dat je aangehaakt was', maar hij houdt zich in. Ria weet al snel ruzie te maken en daar staat zijn hoofd nu absoluut niet naar. 'Ik zie teveel complicaties,' gaat Ria op hoge toon verder, 'problemen met de school, de ouders, de politie. Ik was wat later op school, maar ik hoor nu over een demonstratiewagen, een petitie, spandoeken en dan ook nog dat rare verhaal van jouw Donya, dat wordt mij teveel. Ik had gedacht dat wij simpel met de klas door Middelburg zouden lopen. Met een paar vlugschriften om uit te delen. Dat was het eerste idee. Dat vond ik wel leuk. Maar ik begrijp niet dat jij je zo makkelijk laat meesleuren door dat meisje.' Mark slikt. Hij voelt zich aangepakt. Vooral dat 'jouw Donya' steekt hem, maar zijn hoofd is te vol om scherp te reageren. Ria gaat door: 'Nu krijgen we een hele opgetuigde toestand. Je ziet op de televisie genoeg van die acties. Dat kan vet fout gaan. Wij kunnen zelf blunders maken. Maar ook de omstanders kunnen anders reageren dan wij verwachten. En dan kan het snel gebeuren dat de politie hard ingrijpt.' Ria is niet te houden. 'Niemand in de klas weet hoe dit soort acties moeten worden georganiseerd en hoe je de risico's moet inschatten. Weet je nog? De leerlingenstaking tegen nieuwe lesroosters? Nou, dat hebben we geweten!

Een flinke rel met harde klappen van de politie. En dat was nog iets eenvoudigs, niet meer dan een korte demonstratie op straat.' Mark bijt op zijn lip. Wat moet hij hier nu mee? Hij is teleurgesteld en voelt ergernis tegelijk. Hij had graag gezien dat ze aan zijn kant stond en zich actief zou inzetten. Ze heeft energie voor twee. Maar ze staat nu letterlijk tegenover hem; een kleine gestalte, maar als ze aan het woord is lijkt ze wel te groeien. Het vervelende is dat Mark haar niet helemaal ongelijk kan geven. Ze zijn inderdaad groentjes in het actievoeren. En Ria raakt een zwak punt. Dat ingrijpen van de politie destijds was niet leuk. Hij weet dat Ria's broer toen een paar harde klappen met de wapenstok opving. Mark staat er hulpeloos bij. Geen Donya om hem op weg te helpen, geen Tooske die geen problemen kent, geen Annette die altijd naar een oplossing zoekt. Zelfs geen Peter met een flauwe ontwapenende grap. Hij weet hier niet mee om te gaan. Hij kijkt stil voor zich uit en verliest even de controle over zichzelf en de situatie. Maar dan wordt hij onverwacht door een van de andere meiden gered. Suzan Smits moet naar de wc in de gang. Zij wringt zich langs Mark en Ria die tegenover elkaar in de deuropening staan. Ze voelt de spanning, draait zich voor de deur van het toilet ineens om en zegt op laconieke toon: 'Ria, je zit nou toch niet ook tegen die jongen aan te zeuren? We hebben het er toch uitgebreid over gehad in ons groepje? Ik dacht dat het wel genoeg was.' Mark ziet dat Ria bijna ploft en is blij dat de druk nu even uit hun gesprek wegvalt. Hij kijkt Suzan dankbaar aan. Het is water en vuur tussen Ria en Suzan. Slangentongen beweren dat zij iets met elkaar hebben gehad en dat het in een knallende ruzie uit elkaar is gespat. 'Bemoei je er niet mee!' sist Ria.

Maar Suzan lijkt er wel lol in te hebben. 'Kom Ria, we weten nu wel dat jij er graag tussen uit piept als er aangepakt moet worden. Maar wees niet benauwd, we helpen we je wel.' Het laatste klinkt zuigend. Suzan weet dat ze een gevoelige tik uitdeelt. Ria mag dan wel sterk zijn met woorden, iedereen weet dat ze een kluns is in praktisch werk. Ria werpt Suzan een vernietigende blik toe. Mark maakt van de gelegenheid gebruik weg te glippen. Hij loopt snel naar de flip-over in het klaslokaal, waar Peter staat te werken aan detailtekeningen van de treurwagen. 'Rottigheid jongen?' grijnst Peter in zijn richting. 'Hoort erbij, bij jouw functie als actieleider.' Mark haalt zijn schouders op.

Het gesprek met de directeur de volgende dag verloopt niet goed. De directeur is een grijzende man met een al even grijs overhemd en jasje. Hij zit achterover geleund achter zijn bureau en kijkt Mark en Jan Joustra over zijn half ronde brillenglazen met een strakke blik aan. Het is duidelijk dat hij niet veel zin heeft om in te stemmen met de actie. Het gesprek verloopt precies als Mark al vreesde. De directeur heeft het toegestuurde opzetje voor de demonstratie op tafel liggen en kijkt er met een vies gezicht naar. Hij zegt dat hij er niets van wil weten, maar dat hij voor een definitief besluit eerst het voltallige schoolbestuur moet horen. 'Dat doe ik alleen omdat jullie de steun hebben van jullie klassendocent, anders zou ik daar niet eens beginnen.' zegt hij. 'Maar ik wil geen onduidelijkheid laten bestaan over mijn positie. Ik zal negatief adviseren.' Hij wijst erop dat bij een eventuele instemming van het schoolbestuur, die hij niet verwacht, ook de mening van de ouders moet worden gevraagd. Hij legt een direct verband met de narigheid die met de politie van Middelburg is ontstaan bij de actie van een aantal scholieren tegen de nieuwe lesroosters. Hij wil dat niet nog een keer meemaken. Hoezeer Mark ook uitlegt dat hun actie ludiek is, met een aangeklede optocht en een simpele handtekeningenlijst, de directeur is onvermurwbaar. 'Ik vind de school geen plaats voor allerlei acties, ook al begrijp ik jullie ongerustheid over de vervuiling,' zegt hij, over zijn gouden brilletje naar Mark turend. 'Jullie zullen de mening van het schoolbestuur moeten afwachten. En dan hebben we ook nog de ouders. Dus reken maar nergens op.'

'Dat gaat eeuwen duren, en we schieten er geen moer mee op,' mompelt Mark getergd tegen Jan Joustra, als de directeur opstaat en hen naar de deur leidt. De directeur doet alsof hij het niet gehoord heeft. 'Collega Joustra, ik zal u te zijner tijd informeren,' zegt hij. Mark kijkt Jan Joustra aan. Hij verwacht hulp van hem. Maar Jan Joustra knikt afwerend. Hij kent de directeur al langer en weet dat het geen zin heeft om verder aan te dringen. Mark voelt zich opgelaten en in het nauw gedreven. Ze moeten nu met hun actie wachten op het gesprek met het bestuur, dat pas volgende week een keer bij elkaar komt, en dan ook nog een keer de raadpleging van de ouders. Dat zal dan wel schriftelijk gaan. Briefje mee, briefje weer terug, en dat duurt ook weer een week. Maar zover zal het niet eens komen, gelet op de negatieve insteek van de directeur.

'Dat wordt dus niks,' mokt Mark als hij met Jan Joustra door de lange gang naar hun klaslokaal loopt. Als zo'n schoolgang leeg is klinkt alles nog holler en steniger. Ook je eigen voetstappen en je stem. Mark voelt aandrang om tegen de deuren te schoppen. 'Daar gaan we dus niet op wachten,' moppert hij. 'En dat heeft trouwens ook geen zin. De directeur wil niet, dat is mij wel duidelijk geworden. Hij gaat het voor de vorm inbrengen in het bestuur, maar ik weet het resultaat wel.'

Jan Joustra zwijgt. Hij kan en wil het niet tegenspreken. Het is duidelijk dat er geen spoor van enthousiasme bij de directeur te vinden is. Hij weet dat daar goede redenen voor zijn, die Mark niet zullen aanspreken. De directeur is verantwoordelijk voor een goede gang van zaken op de school en daarbuiten als het om gedrag van de leerlingen gaat. De directeur vindt de actie ongepast en ontoelaatbaar voor de school. Zwijgend lopen ze naar het biologielokaal. Naast de ingang staat een skelet opgesteld. Om zijn woede af te reageren wil Mark er een trap tegen te geven, zodat het ding in honderd-en-een botjes uit elkaar zou vallen. Maar toeval of niet, Jan Joustra kruist er net voor langs, zodat Mark zijn schop moet inhouden om de docent niet tegen de schenen te raken.

Binnen wordt met spanning op hen gewacht. Jan Joustra doet kort verslag. Mark staat intussen na te denken. Hij voelt zich behoorlijk gefrustreerd en zint op een tegenzet. De woorden van Donya tegen de klas gisteravond komen bij hem boven. 'Je hoeft niet altijd instemming te hebben om iets te doen wat je nodig vindt'. Het speelt door zijn hoofd, terwijl er in de klas geroezemoes ontstaat bij de uitleg van Jan Joustra. 'Maar we kunnen toch gewoon doorgaan met voorbereiden,' vindt Annette, 'misschien valt het besluit toch nog positief uit. Dan zijn wij er klaar voor.'

'Vergeet het,' zegt Mark. 'Dat overleg van de directeur is alleen maar voor de vorm. Omdat hij JJ niet voor het hoofd wil stoten. Waar of niet Jan?' Hij kijkt vragend naar Jan Joustra. 'Ik wil eerlijk zijn,' zegt deze, 'er is niet veel kans.' Mark haalt hij diep adem, als voor een sprong. 'Het spijt me voor jou Jan, maar ik vind dat we maar niet moeten wachten op de directie,' zegt hij. Mark heeft dat besluit in feite al op de gang genomen, toen ze uit de kamer van de directeur kwamen. 'Het is nu woensdag. Als wij onze actie zaterdag houden is dat in onze eigen tijd. Heeft de school niets mee te maken.' Het blijft even stil in de klas. Dan barst een instemmend geroffel op de tafels en gestamp op de vloer los. Dat houdt een tijdje aan. Dan komt Tooske als altijd met een praktische vraag. 'Hoe komen we buiten de school dan aan onze spullen? Waar kunnen wij met elkaar praten en werken?'

'Niet hier. Niet op school. Dat kan dus niet,' haast Jan Joustra zich te zeggen. Hangende het besluit kan hij niet tegen de schooldirectie in gaan. 'Geen punt,' zegt Annette, 'we vinden zelf wel een ruimte. Frida Malakovic heeft al aangeboden om die kar in haar atelier op te tuigen. Daar ligt ook veel materiaal dat we voor de demonstratie kunnen gebruiken. Dat mogen we hebben.'

Jan Joustra staat voor het blok. Hij snapt dat het point of no return in de klas is bereikt. Met dank aan de onbuigzame opstelling van de directeur, die de risico's niet aan durft. Daardoor is zijn medewerking aan de actie nu ook geblokkeerd. Maar hij heeft sympathie voor de actie gekregen en waardeert de durf van de klas om er mee door te gaan. Ook Geke van der Wal wil solidair blijven met de klas en zich niet aan de actie onttrekken. Zij kunnen dan wel niet officieel meedoen, maar zij willen de klas wel helpen met adviezen. Ook mag het materiaal gebruikt worden dat anders voor hun klassenproject zou zijn gebruikt: schrijfmateriaal, computers, dat soort zaken. Als het maar niet op school gebeurt. Geen erg principiële opstelling, maar wel praktisch. Nog diezelfde dag gaat een delegatie van de klas op bezoek bij Frida Malakovic. Ze is enthousiast. Haar atelier is een grote schuur met voldoende ruimte en er ligt een schat aan materiaal dat zij voor haar werk verzamelt. Ze biedt ook aan te helpen bij de opbouw van een kar en het ontwerpen van de verkleedkostuums. 'Leuk klusje,' zegt ze. 'Goed dat jullie de mensen wakker gaan maken.'

6

Een dodenkar

Frida Malakovic laat de rook van haar sigaartje tussen haar geverfde lippen ontsnappen. Een fraai wolkje kringelt omhoog in het kleine keukentje in haar atelier. Het atelier is een voormalige boerenschuur op de camping die haar man drijft. 'Hebben jullie al een kar?' vraagt ze. Mark schudt zijn hoofd. 'We hebben nog niets,' zegt hij, 'eigenlijk alleen een idee.' De kunstenares begint te lachen, de zware, wat hese lach van iemand die veel rookt en drinkt. 'Dat is toch een goed begin? Alles begint met een idee.'

'We hebben heus wel iets meer dan alleen een idee,' zegt Annette, 'Peter en ik hebben een paar schetsen gemaakt van de kar en van de pakken die wij willen maken.'

'Laat zien,' zegt Frida Malakovic. Peter rolt drie tekeningen uit: een zeehond met zweren, een vis met puisten en een vogel die met olie is overdekt. 'Niet slecht', mompelt de kunstenares. Ze pakt een stukje houtskool uit een tekendoos. 'Helemaal niet slecht,' herhaalt ze, terwijl ze hier en daar wat lijnen toevoegt. 'We kunnen deze vergroten en er knippatronen van maken. Daar komen we wel uit.' Ze werpt een blik op de tweede koker die Peter bij zich heeft. 'Wat heb je daar nog?' Peter opent de koker. 'Een paar schetsjes voor de opbouw van de kar.'

'Ja, die kar,' zegt Frida Malakovic, 'daar vroeg ik net al naar. We moeten een platte boerenkar hebben. Er staat er hier ergens op het bedrijf nog wel een. Gaan jullie dat ding zelf trekken?' Peter grijnst in de richting van Mark. 'Daar hebben we onze actieleider voor. Die zetten we in als paard.' De kunstenares herinnert zich Marks lichtgeraaktheid bij hun eerste ontmoeting bij de tentoonstelling van haar werk. Ze speelt het spel graag mee. 'Daar zeg je wat,' mompelt ze, 'jullie Mark als Zeeuws trekpaard, dat zou mooi zijn. Maar dan moeten we voor hem nog een speciaal paardenpak maken.' Mark loopt rood aan. Frida Malakovic schiet in de lach. 'Maak je geen zorgen, mooie jongen. Jij kunt helemaal geen paard zijn. Veel te slank.' Mark blijft rood, maar nu is het meer blozen.

'Anna Marinisse!' roept Annette ineens. Anna Marinisse is een klasgenoot; een boerendochter, die ringwedstrijden rijdt. Het ringrijden is een oude Zeeuwse traditie, waarbij ruiters op de zware Zeeuwse paarden in volle draf een lans door een klein ringetje moeten steken, dat op een paal is bevestigd. Anna Marinisse is jeugdkampioen. Annette pakt haar mobiel en toetst een nummer. Als ze contact heeft begint ze op en neer te lopen, zoals veel mensen doen als ze mobiel bellen. Anna Marinisse zegt dat ze wel wil meedoen en haar vader zal vragen of ze een trekpaard van de boerderij mag gebruiken. Ze ziet geen probleem. Haar ouders zijn moderne boeren, die een milieuvriendelijk bedrijf hebben en zich ook zorgen maken over de vervuiling van zee en land. 'Dat is dan geregeld,' zegt Frida Malakovic. 'Wanneer beginnen we met het echte werk?'

'Morgen?' vraagt Mark.

'Prima. Ik zal zorgen dat de kar in het atelier staat.'

De hele volgende dag wordt gewerkt aan de pakken die in de optocht zullen worden gedragen: tien olievogels, een vis met wratten en puisten en een zeehond met grote zweren in de huid. In het atelier ligt genoeg materiaal en iedereen heeft van thuis ook het nodige meegenomen. Oude gordijnen, lappen stof, zwart landbouwplastic, papier en kartonnen dozen. Met schaar, lijm en een lik verf worden simpele pakken in elkaar geknutseld. Goed herkenbaar en makkelijk aan te trekken. Ook de opbouw van de kar vordert goed. Het is een platte kar met houten wielen met stalen banden, en een voorstuk waar het paard ingespannen kan worden. Op de kar wordt een boot in elkaar gezet, een treurboot. Van oude planken wordt een stuurhut getimmerd. An de zijkanten van de kar worden platen hardboard bevestigd, waarop foto's van Klaas Oldenburg zullen worden geplakt: olievogels op een vervuild strand en half vergane zeehonden op een zandplaat. Twee oude vlaggenstokken dienen als masten en zwart landbouwplastic als zeilen. Op het dek worden een paar roestige oliedrums neergezet. Het wordt een 'dodenkar' zoals Frida Malakovic het gevaarte typeert.

Als hij 's avonds thuiskomt, voelt Mark pas goed hoe vermoeid hij is. Maar tegelijk wordt hij beheerst door een gevoel van prettige spanning. Hij heeft nog tot laat doorgepraat met Donya en haar bij de veerboot gebracht. Hij komt steeds meer van haar te weten. En zij van hem. Maar van zijn leven is niet zo veel schokkends te vertellen. Hij leeft met zijn vader, moeder, jongere broer en oudere zus eigenlijk heel rustig. Mooi huis, eigen kamertje, behoorlijk - maar altijd te weinig- zakgeld, de basketbalclub voor wedstrijden en gezelligheid met de jongens, naar school en huiswerk maken, af en

toe een feestje, een bioscoopje, een paar weekjes vakan-
tie in hun huisje in Frankrijk, een paar vrienden, dat
is wel zo'n beetje zijn bestaan. Dat van Donya ziet er
heel anders uit. Haar familie is uit elkaar gerukt. Zij
heeft alleen haar vader, Haar zusje is bij kennissen in
Duitsland ondergebracht. Haar vader heeft het niet gemakkelijk. Hij mist zijn vrouw en zijn familie, praat
nog altijd niet gemakkelijk Nederlands en voelt zich
niet op zijn gemak in dit voor hem vreemde land. Daar
komt bij dat hij voortdurend op zijn hoede moet zijn
omdat hij niet weet of, waar, en wanneer hij in de gaten wordt gehouden door de veiligheidsdiensten. Niet
alleen die uit Iran, maar ook die van Nederland. Hij
is immers een politieke vluchteling. Zo moet hij aan
twee kanten opletten en leeft hij eigenlijk tussen twee
werelden in. Dat slaat natuurlijk ook terug op Donya,
die solidair wil zijn met haar vader, maar ook graag een
eigen bestaan wil opbouwen in dit nieuwe land. Zij
heeft Mark ook uitgelegd waarom zij haar hoofddoek
blijft dragen. Zij is ondanks alles trots op haar afkomst
en wil dat op deze manier uitdrukken. Het geeft haar
een gevoel van eigenwaarde. Haar lotgevallen geven
Mark veel om over na te denken, maar tegelijk voelt
hij prettige vlinders in zijn buik en op de fiets naar huis
voelde hij nauwelijks hoe de regen in harde windvla-
gen in zijn gezicht striemt. Doorweekt stapt hij de gang
in. Er brandt nog licht in de woonkamer van het huis
aan de oude gracht. Meestal is op dit uur iedereen naar
bed. Maar er is nu bezoek. Mark ontwijkt de woonkamer en loopt met een snel 'ik ben thuis' de trap naar
zijn kamer op. Even alleen zijn. Bijkomen van de dag
en nadenken hoe het verder moet. Hij voelt zich moe,
leeg en tegelijk ook opgewonden. Het gecompliceerde

gevoel van een kersverse actieleider, die ook nog verliefd is. Hij zit nog maar net op de rand van zijn bed om zijn doorweekte sokken uit te doen of zijn vader steekt zijn hoofd om de hoek van de deur. 'Kom je nog even beneden, Mark?' vraagt hij. 'Ik wil nog wat met je bespreken.' Marks vader heeft een lage, zachte stem die zelden emotie verraadt. Maar Mark hoort er nu iets in dat hem waakzaam maakt. 'Gaat zeker over school?' reageert hij voorzichtig, maar toch ook wat geprikkeld. Hij heeft een voorgevoel. Misschien is er al bericht van school dat er iets aan de knikker is. Het grootste deel van de klas was immers vandaag niet op school en in het atelier van Frida Malakovic aan het werk. Hij wil best uitleg geven, maar liever morgenochtend; hij zit nu te vol van belevenissen van die dag. En van gedachten aan Donya. Als hij de woonkamer binnenkomt wacht hem een verrassing. Naast zijn moeder zit Jan Joustra op de bank. Het puntbaardje wipt naar voren als hij Mark ziet. Marks moeder kijkt vragend naar Mark. Hij voelt de onrust. Zijn ouders zijn op de hoogte van zijn moeilijke relatie met de biologieleraar. Maar dat is nog geen reden voor een bezoek van de docent, zo laat op de avond. Dat kan natuurlijk niets anders zijn dan gedonder met hun actie. 'Is er een probleem?' vraagt Mark zo luchtig mogelijk. Hij wil de ongemakkelijke situatie doorbreken, maar op het moment dat hij het zegt, voelt hij dat hij niet de juiste toon treft. 'Nou ja, probleem, noem het maar zo,' reageert zijn vader met een tikkeltje ergernis over Marks manier van vragen. Zijn grijze hoofd schudt licht heen en weer. Een eerste begin van de ziekte van Parkinson. Dat trillen doet hij ook met zijn rechterhand, als hij wat te gespannen is. 'Mijnheer Joustra maakt zich ongerust over jullie actie,' begint hij. In een gewoontegebaar zet hij met duim en wijsvinger zijn bril recht, ook al staat die al goed op zijn hoofd. Ieder mens heeft zo van die gebaartjes. 'Ik weet van niets,' gaat hij verder, 'misschien wil je ons om te beginnen vertellen wat er precies gaande is.' Mark slikt even. Hij staat er wat ongelukkig bij met zijn blote voeten, die onder zijn nog natte broekspijpen uitsteken. Hij realiseert zich dat hij zijn ouders nauwelijks nog over hun actie heeft verteld. Een enkel woord in het voorbijgaan, dat was het. Hij probeert zijn gevoelens van daarnet wat weg te drukken. Hij ontkomt er nu niet aan zijn ouders volledig te informeren. Over instemmen met zijn actie denkt hij nog maar liever niet. Als hij uitgesproken is blijft het even stil. Dan vraagt zijn vader: 'Hoe gaat het nu verder?' Mark zucht: 'Als ik dat precies wist.' Maar hij snapt direct dat het een beetje typisch antwoord is voor iemand die een actie leidt. 'Ik denk dat we zaterdag onze demonstratie gaan houden,' vult hij aan. Jan Joustra schudt zijn hoofd. 'Maar de school stemt daar niet mee in. In elk geval nu nog niet,' zegt hij. 'En nooit niet,' reageert Mark direct. 'Dat is wel duidelijk gemaakt door de directeur. Daarom zijn we uitgeweken naar het atelier van Frida Malakovic. Daar zijn we tenminste welkom'. Een ingehouden glimlach trekt over het gezicht van Marks vader. 'Het is toch geen oorlog met de school?' vraagt hij zacht. Het blijft even stil in de kamer. Er is alleen het geluid van de regen op het raam. 'Wie is trouwens die Frida Malakovic?' wil moeder weten. Mark voelt het water uit zijn broek sijpelen. Op de stenen vloer verschijnt een plasje. Zijn moeder ziet het en haalt een handdoek. Mark gaat naast haar op de bank zitten en wrijft zijn voeten droog. Hij legt uit hoe ze met de kunstenares in contact gekomen zijn. 'En de demonstratie houden we in onze vrije tijd. Zaterdag dus,' voegt hij eraan toe, 'daar heeft de school volgens mij in principe niets mee te maken.'

'Dat hangt er maar van af wat jullie gaan doen,' zegt Jan Joustra. 'En overigens was vandaag bijna de hele klas ook al afwezig. En ik begrijp dat jullie morgen ook wegblijven. Dan kun je toch moeilijk beweren dat het de school niets aangaat.' Mark kijkt hem verbaasd aan: 'Maar aan wiens kant sta jij nou eigenlijk? Ben jij vóór ons of tégen ons?'

'Ik heb sympathie voor jullie actie. Dat wil ik wel zeggen. Maar de school als zodanig heeft dat niet. Ik moet dus opletten dat de boel niet compleet uit de hand loopt.'

'Dan is uw positie als klassenleraar ook niet makkelijk,' stelt Marks vader vast. 'Als de schoolleiding zich zo afwijzend opstelt.'

'Daarom ben ik ook hier,' antwoordt Jan Joustra. 'Om met Mark te praten. En met u beiden. Want ook de positie van Mark is niet eenvoudig. Hij wordt beschouwd als de leider van de actie en bij hem ligt dus ook een grote verantwoordelijkheid.' Het blijft weer even stil in de kamer, het ruisen van de regen tegen het raam is dan ineens goed hoorbaar. Mark volgt de druppels die in een straaltje langs het raam lopen. Hij voelt zich uitgeput en heeft geen kracht meer om te argumenteren. Allerlei gedachten stormen door zijn hoofd. De gesprekken met Donya, de rottigheid op het strand, de problemen in de klas en nu ook nog thuis onrust. Dan hoort hij zijn vader zeggen: 'Voor een demonstratie heb je vooraf toestemming nodig van de burgemeester. Dat is nu eenmaal de wet. Hebben jullie je dat gerealiseerd?' Mark schiet vol. De vermoeidheid speelt hem parten, en de situatie in de kamer benauwt hem. Hij bestudeert zijn tenen en zwijgt. Dan leunt hij achterover, knijpt zijn lippen en ogen samen alsof hij de kracht uit zijn binnenste wil opdiepen en zegt: 'Dan vragen we dat toch gewoon?'

'Dan moet je wel incalculeren dat de burgemeester dat kan weigeren,' zegt Marks vader. 'Besef wel dat die man ook midden in die olieramp zit. Er is een crisiscentrum in het stadhuis. Hij heeft misschien helemaal geen zin in nog meer sores.'

'Sores?' Dat woord kent Mark niet. 'Narigheid,' vertaalt zijn moeder. Ze trekt hem bezorgd tegen zich aan. Mark stribbelt eerst wat tegen, maar geeft dan toe aan haar armdruk en laat zich tegen haar aan zakken. 'Beseffen jullie wel,' zegt ze, 'dat heel Walcheren op zijn kop staat door de olieramp? Alle hulpdiensten zijn ingeschakeld. En dan komen jullie er ook nog bij met een demonstratie. Daar zit niemand op te wachten.' Mark maakt zich los uit haar arm. 'Wij wel,' zegt hij, geïrriteerd. 'En al de vogels ook, én de zeehonden én de vissen.'

'De vergunning, Mark?' herhaalt zijn vader zacht, maar indringend: 'Wanneer ga je die aanvragen?' Het wordt Mark teveel. De druk in de kamer wordt hem te groot. Hij is hondsmoe. 'En als ik dat nu eens niet doe en gewoon doorga met onze actie?' zegt hij opstandig. Jan Joustra trekt aan zijn baardje. 'Dan neem je een groot risico. De politie kan ingrijpen. En stevig ook. Dat hebben we eerder meegemaakt in Middelburg. Dat kun jij je ook nog wel herinneren.' Mark wil van het gezanik af. 'Oké, oké, Ik heb toch al gezegd, dat we die vergunning gewoon gaan vragen.' zegt hij geprikkeld. 'Maar de vraag is of je die wel krijgt, gezien de risico's en je leeftijd,' zegt Marks vader.

Mark ziet het niet meer zitten. Hij wil de kamer uit. Maar net als hij wil opstaan neemt Jan Joustra het woord. Hij snapt heel goed dat Mark ook op school en in de klas onder grote druk staat en dat hij, nu zo laat op de avond na een moeilijke dag, aan het eind van zijn krachten is. 'Luister Mark,' begint hij, 'je hebt dat misschien nog niet zo gevoeld, maar Geke van der Wal en ik staan meer aan jullie kant dan je misschien denkt. Wij willen vervelende toestanden voorkomen.' Hij zwijgt even. Zijn baardje veert op. Hij kijkt Mark scherp aan. 'Ik wil je helpen. Ik heb besloten dat ík die vergunning voor jullie ga aanvragen. Als persoon. Niet als lid van het schoolteam, want daar heb ik immers geen machtiging voor. Ik ga persoonlijk garant staan voor een goed verloop van jullie demonstratie.' Mark kijkt hem stomverbaasd aan. Jan Joustra verrast hem volkomen met deze move. Zou er iets achter zitten? Zijn er ook voorwaarden die de klas moet vervullen? Maar voordat hij dat kan vragen. zegt zijn vader: 'Mijnheer Joustra, heeft u dat besproken met de schoolleiding?' Jan Joustra schudt ontkennend zijn hoofd. 'Ik zei al, dat doe ik op eigen verantwoordelijkheid. Wat de klas buiten schooltijd doet is in principe geen zaak voor de school. Daar heeft Mark gelijk in. De school gaat ook niet over feestjes of sportwedstrijden. Die kunnen ook uit de hand lopen. En dit gaat om een goede zaak, waar iedereen het mee eens is. De school kan als instituut moeilijk de verantwoordelijkheid nemen voor een actie in de richting van de gemeente. Maar iemand moet dat wel doen. De meeste leerlingen zijn nog minderjarig.' Hij richt zijn wijsvinger op Mark. 'Als jij de actie maar in de hand houdt. Geen provocaties, geweld, vernielingen, dat soort dingen.' Mark slikt. Dat zijn dus de voorwaarden. Maar ze klinken redelijk. De klas gaat voor een ludieke actie, niet voor bloed aan de paal. Hij krijgt dus nóg meer verantwoordelijkheid voor zijn kiezen. Van hem wordt dus verwacht dat hij de zaak in de hand zal houden. Maar de spanning uit dit gesprek valt nu even weg. Hij voelt hij zijn lichaam trillen. Dat voelt ook zijn moeder. Ze raadt hem aan droge kleren aan te doen. Mark grijpt de hint aan, groet Jan Joustra en verdwijnt de kamer uit.

Als Mark de volgende ochtend zijn fiets bij de deur van het atelier van Frida Malakovic neerzet, staat er op het grasveldje naast de schuur een paard. Het dier heeft een groot hoofd, zware schoften en ruig behaarde onderbenen. Als veel stadsjongens is Mark een beetje bang voor paarden. Zeker voor zo'n zware jongen, met zijn massieve lichaam. Het paard staat met de voorhoeven ongeduldig in de grond te schrapen. 'Mooi dier, vind je niet?' hoort Mark achter zich. Anna Marinisse staat op hem te wachten, een lach op haar blozende gezicht. 'Zeeuwse weelde, zegt mijn vader.'

'Heet dat beest zo?' zegt Mark, vol ontzag naar het paard kijkend. 'We noemen haar geen beest,' verbetert Anna, 'maar een paard. Het is een meisje. Zij heet Dienke.' Mark schiet in de lach. Die grote kolos zou hij niet vlug een meisje noemen.

'Wat bedoel je eigenlijk met 'Zeeuwse weelde'?'

'Toen er nog geen trekkers waren ploegden deze paarden de vette Zeeuwse klei. Daar is Zeeland rijk van geworden.' Anna glimlacht: 'Jij bent een echt stadsjoch, dit is jouw wereld niet. Daar weet je niets van.' Mark moet haar gelijk geven. Hij weet niets van paarden en ander vee. Hij loopt met een boogje om het grote dier heen, het atelier in. De opgetuigde boerenkar staat in het midden van de grote ruimte. Aan de wand hangen de pakken. Plastic capes voor de olievogels, een aan elkaar genaaide lappendeken als zwerenhond en als puistvis een houten geraamte bekleed met doek en karton. Op de grond liggen spandoeken met teksten. De demonstratie begint nu duidelijk vorm te krijgen. Frida Malakovic houdt het toezicht op het teken- en schilderwerk en geeft adviezen over de constructies.

Tegen het eind van de middag belt Jan Joustra. Hij heeft een fax van de gemeente ontvangen. Er is formeel toestemming voor een demonstratie door de stad op zaterdag. De burgemeester is er niet blij mee, maar hij handelt volgens de wet die zegt dat demonstraties moeten kunnen plaatsvinden, mits er geen misdadige doelen zijn en de openbare orde niet in gevaar wordt gebracht. Daarom moet de route vooraf precies worden doorgegeven. Er mag niet van worden afgeweken. Er moet met de politie worden overlegd over het verloop. 'Dat is voor de politiebegeleiding en de verkeersregeling,' licht Jan toe. 'Verder mogen er geen agressieve of beledigende teksten worden meegevoerd. Er mogen geen zaken in het openbaar milieu worden verplaatst of verwijderd. Zoals straatstenen of paaltjes en dergelijke zaken.' Mark schiet in de lach. 'Wat denken ze op het stadhuis eigenlijk, dat wij de revolutie gaan uitroepen?'

'Ja hoor eens, ik lees gewoon de vergunning voor,' zegt Jan Joustra. 'Allemaal standaardzinnetjes op een formulier. Dat zal wel uit een of andere verordening komen. Maar goed, je moet vanmiddag nog de route op het stadhuis gaan afleveren.' Het gaat Mark nu wat te vlug. 'We hebben nog helemaal geen route.'

'Dat doen we dan samen wel. Ik neem een kaart mee en haal je zo dadelijk op met de auto.' Nog geen uur na het telefoongesprek lopen Mark en Donya met Jan Joustra de route af, die provisorisch op een plattegrond van Middelburg is uitgestippeld. Bij het oude stadhuis op de Markt is het ongewoon druk. Het fraaie gebouw is niet meer in gebruik als raadhuis, maar vandaag is er iets bijzonders gaande. Bij de stenen trap staat een omroepwagen met uitgeklapte schotelantennes op het dak. Dikke kabels lopen het stadhuis in. Jan Joustra vraagt aan een van de omroepmensen wat er aan de hand is. 'Dit is het perscentrum', luidt het haastige antwoord, terwijl de man zijn koptelefoon even om zijn hals laat zakken. 'Hier wordt de berichtgeving over de oliebestrijding gecoördineerd.'

'Ik heb hier nog nooit zoveel persmensen bij elkaar gezien,' zegt Jan Joustra. 'De olieramp is groot landelijk nieuws,' zegt de persman, zijn koptelefoon weer op zijn hoofd zettend. Mark kijkt het plein rond. Hoeveel jaar komt hij hier al niet? Voor de winkels en de weekmarkt. Of om uit te gaan met vrienden in een van de cafés. Maar vandaag is alles ineens anders. Niet alleen door die drukte van de pers, maar ook omdat hij hier nu zelf in een heel andere rol is. Zaterdag staat hij hier als actieleider van een demonstratie. Hij schudt even met zijn schouders en voelt een vage vrees in zijn maag opkomen. Een wee gevoel dat hem licht misselijk maakt. Donya staat geïnteresseerd naar een omroepauto te kijken. Zij weet als geen ander dat de pers een belangrijke rol speelt als het om acties gaat. Dat heeft ze vaak genoeg meegemaakt als landgenoten van haar in Nederland in actie kwamen tegen het regime in haar land. Ze keert zich om naar Mark die strak naar de trap staat te staren. In zijn hoofd wikkelt zich een film af van hoe de actie kan verlopen. 'Mark, kom eens,' roept Donya. 'Je moet die journalisten nu al vast inlichten over de actie. Nu heb je een mooie kans dat ze meteen belangstelling krijgen en de actie vast gaan aankondigen in hun uitzendingen van vandaag.' Terwijl ze dat zegt komen er drie mannen met een microfoon, camera en grote televisielamp de trap af. Mark haalt diep adem en stapt op ze af. 'Van welke omroep bent u?' vraagt hij, terwijl hij pal voor de mannen gaat staan. 'Omroep Zeeland,' bromt een van hen, terwijl hij Mark met zijn elleboog opzij houdt om ruimte te maken voor de cameraman met zijn uitrusting. 'Wij houden hier morgen een demonstratie tegen de olievervuiling,' gaat Mark door. 'Doe je best,' mompelt de omroepman ongeïnteresseerd. Hij duwt Mark met zijn arm opzij om de cameraman doorgang naar de perswagen te geven. 'We bieden hier morgen een petitie aan de burgemeester aan,' houdt Mark aan. Bij de woorden 'burgemeester' en 'petitie' draait de reporter zich plotseling om. Dat zijn blijkbaar sleutelwoorden voor aandacht. 'Wat voor petitie?'wil hij nu ineens weten. 'Jongens, wacht eens even,' roept hij tegen de geluidsman en de cameraman, die al op het punt staan de reportagewagen in te gaan. 'Deze jongen weet iets over een demonstratie bij het gemeentehuis.' Hij keert zich naar Mark toe. 'Hoe laat gebeurt dat?' wil hij van Mark weten. Die moet nu snel nadenken. Zij hebben wel de route uitgezet maar op welk moment zij precies op de Markt zullen zijn is niet duidelijk. 'Tegen twee uur', gokt hij. Daar moeten ze dan in de demonstratie maar naar toe werken. 'Wie zijn jullie?' vraagt de reporter verder. Mark voelt dat hij beet heeft. 'Wij zijn scholieren die actie voeren tegen de olievervuiling.

'Wat voor actie is het precies?'

'Een demonstratieve optocht door de stad met een petitie voor de burgemeester.'

'Gaan jullie het raadhuis blokkeren? Of jullie vastketenen? Komt er harde actie?' Donya ziet dat Mark aarzelt met zijn antwoord. Snel grijpt ze in omdat ze aanvoelt dat de reporter graag iets spectaculairs wil horen voor zijn programma. Ze fluistert Mark iets in. 'Onze demonstratie gaat naar het stadhuis,' zegt Mark dan. 'Daar vindt een manifestatie plaats.' De reporter heeft spannend nieuws geroken. Genoeg om geïnteresseerd te raken. 'Loop even mee naar de wagen,' zegt hij tegen Mark, hem meetrekkend. 'Dan doen we even een snel interviewtje met je.' Hij posteert Mark bij de reportagewagen en geeft zijn collega's het sein hun opnameapparatuur gereed te houden. 'Wat is jouw rol bij de actie? Heb jij de leiding?' vraagt hij, terwijl de camera op Mark wordt gericht. 'Let op. Je komt zo in beeld en dan zeg je voor de camera wat jullie van plan zijn. Ik stel een paar vragen. Daar moet jij gewoon spontaan antwoord op geven. Hoe heet je eigenlijk?' Mark noemt zijn naam. De reporter houdt zijn blik op de camera gericht. Mark staat er beduusd bij. Dit gaat allemaal wel erg snel. Maar hij kan niet meer terugkrabbelen. De reporter neemt een blauwe bol voor zijn mond en begint er in te spreken. 'Dit is Dirk Bouter voor omroep Zeeland. Ik sta hier op het Marktplein van Middelburg. Hier achter mij is het perscentrum van de olieramp waardoor Walcheren gisteren zo hard is getroffen. Er wordt met man en macht gewerkt aan het schoonmaken van het strand, maar er wordt ook een demonstratie voorbereid tegen de veroorzakers van de olieramp. Bij mij staat de woordvoerder van de actiegroep, Mark Verburg.' Hij wendt zich nu rechtstreeks tot Mark. 'Mark, wat is precies het doel van jullie actie'? Mark krijgt de microfoon onder zijn neus geduwd. Hij slikt een keer. 'Wij gaan morgen demonstreren tegen de vervuiling van de zee. Het leven in deze wordt vergiftigd en er gebeurt niets aan. Vandaag breekt er een olieschip bij onze stranden, morgen ontploft er misschien een gifschip op de Schelde. Daar moet een eind aan komen.'

'Zijn jullie een actiegroep? Zoals Greenpeace?' Weer krijgt Mark de harige bol tegen zijn lippen geduwd.

'Nee, wij horen nergens bij. Wij zijn een eigen groep. Wij zitten op het Walchria.'

'Wat is het Walchria?' onderbreekt de reporter.

'Onze scholengemeenschap,' antwoordt Mark. 'Wij voeren onze eigen actie. Wij zijn met een schoolproject over het zeeleven bezig en toen wij die smerigheid op het strand zagen vonden we dat we iets moesten doen.'

'Maar er zijn toch al heel veel mensen bezig de stranden schoon te maken,' reageert de reporter, 'wat draagt jullie actie daar dan aan bij?' Donya, die achter de reporter staat, maakt een waarschuwend gebaar naar Mark. Zo scherp zijn reporters nu eenmaal vaak. Ze brengen de ondervraagden graag in verlegenheid. Maar Mark redt zich eruit. 'O, wij zijn niet te beroerd om op het strand te helpen hoor,' zegt hij kalm. 'We willen daaraan best meedoen. Maar wij vinden dat we ook aandacht van de politiek moeten vragen voor de vervuiling van onze zee. Om herhaling te voorkomen.'

'Jullie protesteren dus hier tegen de politiek. Maar moeten jullie niet bij de vervuiler protesteren?' Mark krijgt geen tijd om te antwoorden. De reporter houdt de microfoon bij zijn eigen mond. 'Waarom demonstreren jullie niet rechtstreeks tegen de veroorzaker van die olielozing? Dat tankschip en de eigenaar van die olie, dat zijn toch de vervuilers?' vraagt hij en meteen drukt hij de microfoon weer onder Mark zijn neus. Mark hapt naar lucht. Hij krijgt amper tijd om na te denken. 'Dat gaan we misschien ook nog wel doen,' zegt hij. 'Maar eerst houden wij deze demonstratie om te laten zien dat wij jongeren ons grote zorgen maken over onze toekomst.' Mark komt nu goed op gang. Hij kent zijn les. 'Fabrieken lozen in de rivieren en dat vervuilde water komt in de zee uit. Er varen elke dag tientallen schepen met olie en gif over onze Schelde. Er gebeuren regelmatig ongelukken. Er wordt ook gevaarlijk spul verloren. Soms vallen er containers met gif overboord. Daarbij zijn er ook nog heel veel olie- en gasboringen. Daar gaat ook vaak iets mis.' De reporter brengt de microfoon weer bij zijn eigen mond. 'Even terug naar jullie actie. Wat gaan jullie nu precies doen? Wat worden jullie eisen?' Mark klapt even dicht. Eisen? Dat weet hij ook nog niet. Ze moeten de petitie nog opstellen. Andres zou dat doen. Maar toen Mark wegging was hij nog druk bezig. 'Dat kan ik u helaas nog niet zeggen,' zegt hij ontwijkend. 'Dat hoort u bij onze demonstratie.'

'Komt er een harde actie hier op het plein?'

'Ook dát moet u nog even afwachten,' antwoordt Mark diplomatiek. Hij leert snel. 'Maar we zullen er zeker voor zorgen dat de actie stevig aankomt. Zoveel kan ik wel vast zeggen. Het zal er in Middelburg anders uitzien dan vandaag. Neemt u dat maar van mij aan!' De reporter haalt de microfoon weer naar zich toe. 'Dank je wel Mark Verburg voor deze eerste toelichting. Wij van Omroep Zeeland zullen er zeker bij zijn.' De camera sluit en Dirk Bouter bergt zijn microfoon op. 'Wanneer wordt dit uitgezonden?' vraagt Mark. 'In onze avondeditie, rond zes uur.' zegt Dirk Bouter. Hij haast zich naar de reportagewagen. 'Tot morgen,' roept hij nog naar Mark. Die zucht van opluchting. Dit is goed verlopen. Hij heeft het gevoel alsof hij als actievoerder van de ene ijsschots naar de andere moet springen. Donya pakt hem bij zijn arm en neemt hem mee naar café De Vriendschap op de hoek van de markt.

7

Olievogels

Donya heeft een beroerde avond. Zij heeft vertraging met de veerboot gehad en is daardoor te laat thuisgekomen om het eten op tijd klaar te hebben. Dat is haar traditionele taak thuis en als dat een keer niet lukt, is haar vader ongenietbaar. Niet dat hij haar slaat, dat is gelukkig ook in de Iraanse gezinnen geen algemene gewoonte. Maar hij vindt het wel haar taak om voor het eten te zorgen. En voor alle andere zaken in het huishouden; die ouderwetse instelling heeft hij met zijn vlucht naar het westen jammer genoeg niet achter zich gelaten. Maar Donya is gaan begrijpen dat er ook nog iets meespeelt. Haar vader wil op haar kunnen rekenen, zij moet er voortdurend voor hem zijn omdat hij zich anders onzeker voelt. Daarom moet ze hem altijd vertellen waar ze is, wat ze doet, met wie ze omgaat. Als het eten niet op tijd klaar is, of de kleren zijn niet schoon en het huis is niet op orde, dan wordt hij onrustig. Niet omdat hij het zelf niet kan, maar omdat hij het een signaal vindt dat Donya andere dingen belangrijker vindt, en hij aan zichzelf wordt overlaten. Dat is zijn probleem. En dus ook dat van Donya. Daarbij lijdt haar vader ook nog onder de onzekerheid over zijn familie en vrienden in Iran. Dat maakt het allemaal nog ingewikkelder. Donya moet als het ware de vervanger zijn voor dit verlies. Dat alles legt een zware druk op hun relatie. Voor vanavond heeft zij in alle haast een maaltijd uit de supermarkt meegenomen en die in de magnetron verwarmd. Haar vader en zij eten zwijgend. Daarna gaat ze naar haar kamertje, zet de pc aan en volgt op het internet het laatste nieuws over de olie-ramp. Het meeste is herhaling van oud nieuws, maar op een Duitse website is er een nieuwtje. De oliemaat-schappij Petrotec erkent dat zij de eigenaar is van de olie, maar zegt geen enkele verantwoordelijkheid te dragen voor het ongeluk met de tanker. Het was een inschattingsfout van de schipper om na de aanvaring verder te varen. Volgens de woordvoerder van Petrotec kan het bedrijf niet aansprakelijk gesteld worden voor de ramp die het gevolg is van het scheepsongeluk. Pe-trotec wijst met klem alle schuld van de hand, zo laat de woordvoerder van het bedrijf op een persconferentie weten. Donya heeft de neiging Mark te gaan bellen en hem dit te vertellen. Maar het gaat haar er niet alleen om de informatie over te brengen, ze kan wel aanvoe-len dat Mark zelf ook wel de berichtgeving volgt. Ze wil zijn stem horen, misschien ook als verzachting na de scherpe stem en boze blikken van haar vader. Maar toch vooral omdat ze zich prettig voelt als ze contact met Mark heeft. Het plezierige, opwindende en tege-lijk verwarrende gevoel van verliefdheid. Ze kleedt zich uit. De douche is op de gang van het appartement, dat zij in een nieuwe stadswijk van Terneuzen bewonen. Ze slaat een handdoek om, doet de deur half open en duwt haar hoofd om de hoek. Haar vader mag haar niet bloot zien, dat is nu eenmaal wet en regel in hun cultuur. Waarom weet Donya ook niet. In het badka-mertje bekijkt ze zich in de spiegel. Haar donkerbruine haren, die anders opgerold onder de hoofddoek liggen, hangen nu vrij langs haar gezicht tot op haar schouders. Ze wast zich met een geurige bloemenzeep die een kennis van haar vader voor haar uit Iran heeft meegebracht. De zacht-zoete geur doet haar aan thuis denken, maar maakt ook weemoedig. Na de douche gaat ze bloot en met nog natte haren op bed liggen. Alsof ze haar lichaam en haar haren nu even de vrijheid wil geven. Haar mobiel in haar hand, klaar om Mark te bellen. Ze mijmert nog wat en voor ze de toetsen kan indrukken wordt ze door de slaap overvallen. Een onrustige slaap. Onophoudelijk schieten er flarden van werkelijke en gedroomde gebeurtenissen door haar hoofd. De gesprekken over de demonstratie van Mark en zijn klas vermengen zich met beelden van betogingen in haar geboortestad. Geschreeuw van rennende mensen en het beeld van een agent die op een liggende vrouw inslaat, die in de droom ineens haar moeder blijkt te zijn. Haar vader die op de stoep van een groot gebouw aan een hek zit vastgeketend en niet meer wil eten en drinken. Tot er een man in een legeruniform aankomt, die met een slang vanuit een mandfles vloeibaar voedsel in zijn keel duwt. En dan weer een beeld van een slanke jongen met zachte bruine ogen die haar optilt, lieve woordjes in haar oor fluistert, en wegdraagt uit een menigte angstige mensen. Hij legt haar op een strand waar de zon warm in haar gezicht schijnt en buigt zich over haar heen. Zij voelt zijn donkere haar in haar gezicht kriebelen. Hij wil haar een kus geven. Dan wordt zij wakker door het lage avondlicht dat over haar gezicht strijkt. Dat moet de zon in haar droom zijn geweest. Ze slaat haar benen over de rand van het bed. Haar pc staat nog te brommen. Ze drukt op een toets en meteen verschijnt weer het nieuws over de olieramp, dat zij al eerder zag. Als ze verder surft, ziet ze ineens het hoofd van Dirk Bouter van omroep Zeeland op de Amerikaanse nieuwszender CNN verschijnen. Vlak daarop volgt het interview met Mark op de markt in Middelburg. Zij ziet zichzelf naast hem staan. Het is vreemd als je jezelf zo op de televisie ziet. Net alsof het iemand anders is. Dan belt ze Mark.

Als Mark 's morgens het atelier van Frida Malakovic in Dishoek binnenstapt, staat alles klaar voor de demonstratie. Het eerste wat hem opvalt, is een afschuwelijke foto aan de zijkant van het dodenschip. Een zeehond is met zijn snuit komen vast te zitten in een plastic fles en gestikt. Op een tweede foto ligt een grote zilvermeeuw op een stenen dijk, zijn vleugel verstrikt in een nylon hengelsnoer, de haak diep in zijn snavel.

Klaas Oldenburg is bezig met de afwerking van de foto's op de kar. 'Ik heb nog meer van dat 'moois',' zegt de fotograaf. Hij kromt zijn vingers langs zijn hoofd om aanhalingstekens bij 'moois' te zetten. Hij slaat hij een map met foto's open. De eerste is een uitvergrote foto van een groepje jonge eendjes in een zwarte plas olie. De pluizige bolletjes zijn overdekt met kleverige drab. Peter kijkt over Mark zijn schouder mee. 'Over olievogels gesproken,' zegt hij, 'We hebben een zak vol olievogels van het strand gehaald om de kar mee op te tuigen.' Hij trekt Mark mee. In een hoek van de schuur staan een paar zwarte vuilniszakken. Als Peter er een openmaakt stijgt een vieze walm op. 'Dit zijn nu echte olievogels,' zegt hij. 'Ze zien er misschien niet meer zo vers uit, maar ze zijn echt afkomstig uit de laatste ramp en ze zitten goed in de olie. Panklaar om zo te zeggen.' Zijn gezicht laat eerder een grimas zien dan een lach.

De dode vogels zien er ook allerminst uit om te lachen. 'Wat moet je daar nou mee?' vraagt Mark met een vies gezicht. 'We hangen ze op een rijtje aan de mast. Goed zichtbaar,' grijnst Peter.

'Kom nou, dat is toch ontzettend smerig. Die stank is niet te harden!'

'Buiten valt het wel mee,' antwoordt Peter. 'Geeft een mooi effect op die kar. Sterk confronterend. Daar gaat het toch om?' Hij geeft Mark een knipoog. 'En als we klaar zijn maken we er een olievogelsoepje van. Exclusief voor onze klas.' Mark maakt een wegwerp-gebaar. Hij schoffelt wat met zijn voet in de rommel naast de zakken: flessen, blikken, stukken touw, resten van een visnet, een paar kapotte gloeilampen, stukken hout met klodders teer, losse schoenen, allerlei andere troep, door Frida Malakovic van het strand gejut om te gebruiken voor haar 'manifestaties', zoals zij haar kunstwerken noemt. Zij noemt het dan ook geen rot-zooi, maar werkmateriaal. Tussen de rommel ligt een grote gele hoed met brede randen. Een verfrommelde zuidwester, zoals vissers die dragen. Mark pakt het ding op, veegt er wat aangekoekt zand af en zet het ding op zijn hoofd. Die kan hij wel gebruiken in de demonstra-tie. Vervolgens loopt hij naar een groepje waarin Suzan Smits met haar hoge stem het laatste nieuws van haar vader vertelt. Die bevindt zich nu met de loodsboot midden in de grootste olieplas. Hij heeft veel vogels waargenomen, die naar de westkant van Walcheren drijven en naar verwachting in de buurt van Domburg en Vrouwenpolder op de stranden zullen aanspoelen. Mark zou er wel even tussen uit willen om naar die stranden te gaan. Hij heeft het gevoel dat hij in het atelier wel gemist kan worden.

Frida Malakovic loopt met paarse netkousen in hoge laarsjes en een zwabberende vest rond en geeft overal aanwijzingen. Peter staat als een ware bedrijfsleider bij de kar de opbouw te regelen en Annette werkt met Andres in het kantoortje aan de tekst van de petitie. Voor Mark valt er niet veel te doen. Het strand trekt. Hij wil met eigen ogen de gevolgen van de ramp zien. Misschien ook wel om daardoor nog sterker te worden gemotiveerd om de actie aan te voeren. Dan ziet hij Donya het atelier binnenkomen. Zijn blik wordt als door een sterke magneet naar haar getrokken. Ze draagt een blauwe spijkerbroek onder een felrood leren jackje, sterk contrasterend met haar witte hoofddoek. Mark loopt op haar af, kijkt nog even over zijn schouder of zijn vertrek niet al te opvallend is, neemt haar hand en vraagt haar mee naar het strand.

Er staat een harde bries dwars over het lange fietspad dat van Westkapelle naar Domburg leidt. Het is zwaar trappen naar het hoge duin. De trapper van Marks fiets slaat bij elke trap een slag door. Dat is al weken zo en hij had het allang moeten laten maken. In de stad is het niet zo erg, maar hier op dat lange stuk dijk is het vreselijk vermoeiend. Zijn rechterbeen wordt zwaar van dat telkens doorschieten van de trapper. Op de hoge kustweg loopt zijn ketting vast omdat zijn broekspijp ertussen zit. Hij stapt af om de boel uit elkaar te halen. Dat gaat niet zonder vloeken, een besmeurde broek en vuile handen. Donya blijft boven op hem wachten. Voor hen ligt een donkere watervlakte waarop lange golven in trage deining naar de basalten dijkvoet bewegen. Ondanks de stijve bries staan er geen schuimkoppen. Dat komt omdat het water zwaar is van olie. 'Ik zie geen vogels,' zegt Mark, de zee afturend, 'misschien zijn ze verderop. Dichter bij Domburg.' Ze leggen de fietsen neer en lopen naar beneden. Een vette drab druipt van de stenen, telkens als de golfslag weer terugvloeit naar de zee. Even voorbij de stenen zeewering begint het zand-strand. Daar heeft de vloed een dikke laag olie op het strand gelegd en daar ook liggen de eerste dode vogels. Een paar scholeksters. De rode snavels steken schuin in het bruine olie-zand mengsel, de mooi wit-zwarte lijfjes zijn nu geelbruin van de olie. Vanachter een wat ho-gere zandrug fladdert een troepje eenden op. Het lukt er twee om op de wieken te blijven, maar een meter of twintig verder plonsen ze al weer in zee. De ande-ren zakken na een paar meter hulpeloos gewaggel al terug; de besmeurde vleugels hangen slap op het zand. Donya neemt een spurt, dwars door het ondiepe water van het zwin. Mark ploetert achter haar aan. Het vette water gulpt over de rand van zijn laarzen en zakt naar zijn voeten. Het voelt koud en vies aan. Eenmaal op de zandbank proberen ze schuifelend, voetje voor voetje bij de eenden te komen. Twee eenden die wat dich-terbij liggen doen een poging weg te komen, maar de olievleugels zijn te zwaar om de vogels te dragen. 'We moeten ze pakken,' schreeuwt Donya tegen de zeewind in. 'Anders gaan ze absoluut dood.' Mark sjokt nog een paar stappen door de blubber tot hij bij haar staat. 'Het heeft geen zin,' hijgt hij. 'Het zijn er teveel. Het is on-begonnen werk. Dit zijn waarschijnlijk pas de eersten.'

'Maar deze twee moeten we proberen te redden,' her-haalt Donya. 'We kunnen ze niet aan hun lot overlaten. Dat doe je niet!' De twee vogels doen een wanhopige poging om aan de uitgestrekte handen te ontkomen. Ze weten nog net door de smalle reep water te ploete-ren, maar blijven afgemat op het hogere strand liggen.

Donya en Mark plonsen weer terug door het water en kunnen de vogels nu gemakkelijk oppakken. De eend in Donya's handen probeert zich met een laatste krachtsinspanning te verzetten, maar er zit geen kracht meer in. Donya voelt het hartje onder de nattige veren angstig kloppen. Dan laat het uitgeputte dier de kop hangen. Marks vogel hakt nog wat met de snavel in zijn hand, maar hij voelt het nauwelijks. 'Meteen naar het opvangcentrum in Middelburg,' zegt Mark. 'Misschien halen deze het nog als ze snel gewassen worden.' Met de zieke vogels in hun handen sjokken ze terug door het zand naar de dijk. Boven hen klinkt het rauwe gekrijs van een paar grote zilvermeeuwen. Ze duiken en scheren laag over de hoofden van Mark en Donya. Ze zijn nog vele meters boven zijn hoofd, maar toch bukt Mark diep, uit angst voor de grote houwsnavels. Ondanks de situatie schiet Donya in de lach. De meeuwen blijven boven het duin zweven, nieuwsgierig naar wat die twee mensen beneden doen. Mensen aan het strand betekenen ook vaak een kans op eten. Donya stopt haar eend behoedzaam in een zijtas van haar fiets, daarna die van Mark in de andere tas, de klittenbanden voorzichtig sluitend. Zo fietsen ze in haast terug naar Middelburg, Mark vloekend als zijn trapper weer doorschiet.

In het opvangcentrum de Mikke krijgen de eenden direct hun eerste behandeling. Met een zacht afwasmiddel worden de veren ingezeept. Daarna worden ze met een lauwwarme douche afgespoeld en behoedzaam geföhnd om de veren te drogen. De verzorgster zet ze in een hok onder een verwarmende lamp. 'Als ze goed droog zijn en een beetje bijgetrokken mogen ze in een buitenhok om verder op te knappen,' zegt ze. Er zijn inmiddels al enkele tientallen olieslachtoffers binnengebracht. Op het terrein zijn noodhokken bijgeplaatst om de toevloed aan zieke vogels op te vangen.

Weer terug bij het atelier van Frida Malakovic wachten Mark en Donya een stevige verrassing. Onder aanvoering van Peter en Annette staat de hele klas hen buiten in een erehaag op te wachten. Als ze er doorheen lopen wordt er geklapt en geroepen. Over hun hoofd worden slingers geworpen, als bij een huwelijk. 'Heb ik zeker weer aan jou te danken!' sist Mark als hij voorbij Peter naar binnen loopt. 'Jongen, wees je beste vriend toch een beetje meer dankbaar,' meesmuilt deze. 'We hebben ook nog een leuk cadeau voor je,' voegt hij er geheimzinnig aan toe. 'En wat mag dat dan wel wezen?' vraagt Mark, nu nog meer op zijn hoede. Peter troont hem mee naar binnen. Daar staat Frida Malakovic met een pop in haar armen. 'Dit wordt het oliemonster uit het verhaal van Donya,' zegt ze met een brede grijns. Mark voelt nattigheid. Die opmerkingen van Peter en die rare grijns van Frida Malakovic voorspellen een geintje. Hij kent Peter en hij heeft gemerkt dat de kunstenares er ook wel van houdt iemand op het verkeerde been te zetten. De pop in Frida Malakovic's handen wiebelt heen en weer. Het is een cape van wit plastic, beplakt met zwarte veren. 'Een broer van Pino van Sesamstraat,' grijnst Peter, 'maar wel een hele enge.' Mark weet niet wat hij moet zeggen. Hij kijkt van de een na de ander. 'Maar we hebben nog een groot probleem met deze pop,' gaat Peter verder. 'En dat is?' Mark probeert stoïcijns te blijven. Peter trekt een ernstig gezicht. 'Er moet nog leven in dat pak komen. En wij dachten dat jij daar voor zou kunnen zorgen.'

'Wat bedoel je?' vraagt Mark. Het klinkt ongerust, het begint Mark al wat te dagen. Frida Malakovic doet een stap naar voren en houdt Mark de cape voor. 'Pas hem eens!' nodigt ze uit. Mark wijkt terug en houdt afwerend zijn hand omhoog: 'Oh nee, dat hadden jullie gedacht! Maar dat gaat mooi niet door!' Peter gaat onverstoorbaar verder 'Inderdaad. Wij vinden jou wel een geschikt iemand om dat monster leven in te blazen.' Mark is volkomen overrompeld. Hij kan geen kant op. Weigeren is er niet bij, hij heeft dat idee van Donya immers zelf ingebracht. 'Jij wordt dus ons oliemonster,' besluit Annette het in scene gezette toneelstukje. Ze pakt de twee zijden van de cape en gooit die handig over Marks hoofd. Tussen de geur van plastic en lijm zweeft de geur van haar zware parfum. 'Met dit fraaie pak doop ik jou tot oliemonster.' Er wordt geklapt en geroepen. Mark is nu letterlijk ingepakt en geeft zich gewonnen. 'Moet ik zeker ook dat verhaal er bij vertellen?' vraagt hij nog. 'Hoe raad je het!' grijnst Peter. 'Wij wisten wel dat je daar voor in bent.'

'Ik vind ook dat jij het moet doen, Mark,' zegt Donya. 'Als actieleider en oliemonster ben jij natuurlijk de centrale figuur in de betoging. Daar hoort ook bij dat jij het verhaal doet.' Deze opmerking van Donya doet voor Mark de deur dicht. Als zij het ook al zegt... Hij berust. Hij voelt dat hij de klos is. Iemand moet het nu eenmaal zijn. En het ligt voor de hand dat hij het is, hun actieleider. Hoezeer hij er ook tegen op ziet, hij heeft de zaak op gang gebracht. Hij wordt er iets, maar niet veel, geruster op als Donya hem influistert dat zij het verhaal op papier zal zetten, zodat hij het kan voorlezen. In het atelier is nu alles gereed voor de demonstratie. De kar is opgetuigd, de pakken hangen aan de wand van het atelier, wachtend op de dragers. De zwarte plastic capes voor de olievogels, met een koordje om het middel vast te maken, als een monnikspij. Met een doodgravershoed van zwart karton, met een wit lint eromheen. Om het compleet te maken: witte handschoenen. De zwerenhond is een sandwich van twee stukken schuimboard waarop een schildering van een zeehond met gezwellen is geplakt. De puistvis is een stuk karton in de vorm van een vis opgespijkerd op een vierkant van dunne latjes. Op het karton zijn visschubben met lelijke puisten geschilderd. 'We hebben tien van die olievogelcapes,' legt Annette uit. 'Zij lopen naast de kar. Als doodgravers naast een lijkkist.' Annette pakt een cape. Op de rug staat in plakletters: WIJ DRAGEN DE ZEE TEN GRAVE. 'De olievogels dragen de spandoeken,' gaat Annette verder. Ze loopt naar de andere kant van de kar, waar Andres drie spandoeken heeft opgehangen. De leuzen op die doeken zal Andres met een megafoon scanderen, waarna de olievogels dat zullen herhalen. Heel monotoon voor het effect. De muziek komt van Tooske Hamelink op de sax, en Wilco Hiemstra op de oliedrums. Als in een Caribische steelband. Andres pakt de megafoon en roept:

'GIF STROOIEN DOOD GOOIEN
OLIEBOOT VOGELDOOD
GIFBOOT DIERENDOOD'

Mark staat er raar bij te kijken. Door zijn vertrek naar het strand is hij de controle hier volkomen kwijt en gebeurt alles zonder dat hij er veel aan kan doen. Hij verdenkt Annette ervan dat ze bewust gebruik heeft gemaakt van zijn afwezigheid om alles hier te regelen, zodat hij geen kant meer op kan. 'Wie zijn eigenlijk mijn bemanningsleden op de boot?' vraagt hij. 'Dat hebben we natuurlijk ook geregeld,' zegt Annette, waarmee ze Marks vermoeden bevestigt. Ze wijst op een slank blond meisje dat bezig is het vissenpak aan te trekken. 'Jouw medeopvarenden op de treurkar zijn Jeanine van Dam als platvis en ikzelf als de zeehond.'

Ondanks zijn twijfel en onzekerheid moet Mark toegeven dat alles goed geregeld lijkt.

Aan het eind van de middag komt er een telefoontje van Jan Joustra. Mark moet direct naar school komen om over de demonstratie te praten.

'Met de directeur?' wil Mark weten.

'Nee, er komt iemand van de politie.'

'Politie?' herhaalt Mark vragend. 'We hebben toch al toestemming?'

'Er moeten dingen worden geregeld. Dat staat in de vergunning.' Weer voelt Mark dat lamme mengsel van onrust, onzekerheid en ergernis in zijn maag. Wat nou weer? Donya lijkt het aan te voelen. 'Wie was dat?'

'JJ,' mompelt Mark, op zijn lip kauwend. En op haar vragende blik: 'Joustra, ik moet naar school om met de politie over de demonstratie te praten. Gedoe dus.' Met een 'welnee, Mark, dat is heel normaal,' probeert Donya hem gerust te stellen. 'Daar moet je je niet over opwinden. De politie wil weten hoe het zal verlopen. Gewoon, welke route je neemt, wat voor leuzen je voert, van dat soort dingen. Dat doen ze altijd.' Mark kijkt haar aan. Misschien heeft ze gelijk: de vergunning zegt dat het zo moet. Maar hij is er niet gerust op. Het gevoel in zijn maag wil niet weg. Het is het voorgevoel van komende rottigheid.

8

Een mol in de groep?

Met een zwaar hoofd en loden benen loopt Mark de lange gang door naar het kantoortje waar het gesprek met de politie zal plaatsvinden. Jan Joustra en Geke van der Wal zijn al binnen. Jan Joustra kriebelt onrustig in de haren van zijn baardje. Geke van der Wal bestudeert haar nagels. Tegenover hen zit een politieman in uniform, de pet naast zich op tafel. Hij heeft een benig gelaat met diepliggende ogen, waarboven een paar zware wenkbrauwen hangen.

'Dag Mark,' begroet Jan Joustra. 'Dit is hoofdagent Kooiman van het politiebureau uit Middelburg. Hij wil een paar dingen van ons weten in verband met onze betoging van morgen.'

'We hebben toch al een vergunning?' stelt Mark.

'Dat is juist waarvoor ik hier ben,' antwoordt de politieman. Hij slist licht en praat op de aangeleerd formele toon waarmee sommige agenten zich tot burgers richten. Hij zegt ook consequent 'u' tegen Mark. 'Uw vergunning heeft een aantal voorwaarden en het is mijn taak die met u uit te werken. Ik wil met u spreken over de route, en over de leuzen die u misschien gaat meevoeren.'

'De route heb ik bij me,' zegt Mark. Hij haalt de plattegrond van Middelburg uit zijn zak, waarop met een rode viltstift de route is aangegeven, met een grote stip op het eindpunt: de Markt. Terwijl de politieman de route bestudeert, vraagt Mark: 'Wat wilt u van de leuzen weten?' Zonder op te kijken zegt de agent: 'Wat u gaat zeggen of roepen.' Het klinkt afgemeten, als bij een verhoor. Mark voelt zijn stekels omhoog gaan. Terwijl er nog niet eens iets aan de hand is. Door de situatie waarin hij verkeert staan zijn voelhorens nu eenmaal op scherp. 'Waarom wilt u dat eigenlijk weten?' Nu kijkt de politieman op van de kaart. 'Het mogen geen beledigende teksten zijn voor burgers of bedrijven.' Mark noemt de drie leuzen in rap tempo op. De hoofdagent noteert ze in een klein boekje. 'Dat zijn ze, deze drie?' vraagt hij. 'Ja,' antwoord Mark, 'voor zover ik nu weet. Misschien verandert er nog iets, we zijn er nog steeds aan bezig. We gaan ze op spandoeken meedragen.'

'Dan wil ik die vooraf graag nog even zien,' zegt de politieman. 'Voordat jullie ze uitrollen en aan het publiek tonen.' Hij zet zijn vinger op de kaart, aan de rand van de stad. 'Hier zal ik jullie opwachten.'

Geke van der Wal volgt het gesprek met groeiende ergernis. De toon van de politieman bevalt haar evenmin als Mark. Hij wordt behandeld alsof hij een inbraak van plan is. 'U gaat wel erg ver, mijnheer Kooiman,' zegt ze. 'Ik heb wel eens vaker aan een demonstratie meegedaan, maar toen niet meegemaakt dat de politie zo precies alles vooraf wilde weten. We hebben toch demonstratierecht in ons land? Ook in Zeeland, dacht ik.' Het laatste komt er wat sarcastisch uit. De politieman doet alsof hij het niet hoort. Hij heeft de opdracht gekregen alles tot in de puntjes te regelen. De politie wil tot elke prijs vermijden dat de demonstratie uit de hand loopt en er weer onaangename foto's van slaande politiemannen in de krant komen te staan. De politieman geeft de kaart weer aan Mark. 'De route is akkoord. Wij zullen de stoet begeleiden tot op de markt. Daar wordt de demonstratie ontbonden.' Hij kijkt Jan Joustra strak aan. 'U heeft zich verantwoordelijk gesteld voor de demonstratie, wij kijken u aan op een goed verloop.' Kooiman maakt een aantekening in zijn boekje.

'Wij willen de burgemeester ook nog een petitie aanbieden. Aan het eind van de tocht. Op de Markt,' zegt Mark. Kooiman kijkt peinzend. 'Dat heb ik al wel begrepen,' zegt hij. Mark kijkt verbaasd naar Jan Joustra. Hoe kan Kooiman dat weten? Heeft iemand van de groep er iets over gezegd tegen Jan Joustra en heeft die dat aan de politie verteld? Die schudt ontkennend zijn hoofd. 'Over die petitie wil ik u nog het volgende zeggen.' gaat Kooiman verder, 'Er is een bericht bij ons binnengekomen als zou u in de petitie een aanklacht tegen de firma Petrotec willen opnemen'. Hij drukt zijn lippen tot een smalle reep en kijkt Mark onderzoekend aan. 'Kunt u dat bevestigen?' Mark denkt snel na. Hoe komt de politieman daarbij? Ja, de naam van Petrotec is wel gevallen in de klas, in het begin, toen Tooske een bezetting van het kantoor van dat bedrijf voorstelde. Maar daar hebben ze toen direct van afgezien. En de petitie? Die is nog niet eens klaar; hij heeft in elk geval nog niets van Andres gezien. Mark schudt zijn hoofd ontkennend. 'Ik ben daarvan niet op de hoogte,' formuleert hij voorzichtig. 'Ik zelf heb de tekst van onze petitie nog niet gezien. Hoe komt u aan dat bericht? 'Het is niet onze gewoonte te vertellen hoe wij aan onze inlichtingen komen,' zegt de politieman. 'Maar ik vraag u nog eens. U weet dus van niets?' Voordat Mark kan antwoorden komt Geke er met stemverheffing tussen. Ze is woedend. 'Dit kunt u niet maken, mijnheer Kooiman. Mark zegt dat hij van niets weet. Als u wel meer weet moet u dat zeggen. Nu suggereert u eigenlijk dat onze Mark informatie achterhoudt. Dat is niet correct.' Mark werpt haar een dankbare blik toe. De politieman voelt zich nu wat ongemakkelijk. 'Goed dan, wij zijn benaderd door Petrotec. Daar heeft men een tip gekregen.'

'Een tip?' herhaalt Mark. 'Maar van wie dan? Dat wil ik dan wel graag weten.'

'Dat is ons niet medegedeeld. Volgens Petrotec is het een betrouwbare bron.'

'Ik snap er niets van.' mompelt Mark. 'Hoe dan ook,' gaat de politieman verder, 'ik moet u zeggen dat er vooralsnog geen enkel bewijs is dat dit bedrijf verantwoordelijk is voor de olieramp op onze stranden.' Mark blaast zachtjes voor zich uit. Waait de wind uit die hoek? Mogen ze het beestje niet bij de naam noemen? Maar hoe zit dit? Wat voor bron is dat? En waar haalt die bron de kennis vandaan dat Petrotec in de petitie zou staan? 'U loopt grote risico's loopt als u dat zou doen,' zegt de politieman. Hij kijkt Mark scherp, bijna intimiderend aan. Geke van der Wal ziet dat Mark in verwarring is. Zij heeft medelijden met hem. Hij wordt nu wel erg in het nauw gebracht. Ze vindt ook dat de politieman erg ver gaat door vooraf te zeggen wat allemaal niet mag. 'Ik dacht dat we in een land leven waar je in vrijheid dingen mag zeggen,' zegt ze boos. 'Zeker,' antwoord de politieman. 'Maar als de firma Petrotec zonder duidelijk bewijs door uw leerlingen in haar goede naam wordt aangetast kan dat nare gevolgen hebben. Daar wil ik slechts op wijzen. Petrotec zou dan ook schadevergoeding van u kunnen gaan eisen. Daarvoor wil ik u waarschuwen.'

'Hoezo 'goede naam'?' briest Mark. 'Als je een olie-moord begaat, heb je dan recht op een goede naam?'

'Dat is niet aan u om te beoordelen,' zegt de hoofd-agent. 'Dat zou dan eerst goed uitgezocht moeten wor-den en door een rechtbank moeten worden uitgespro-ken.' Het valt Mark op dat er telkens als de politieman uitgesproken is een klein bolletje spuug op zijn lippen achterblijft. Hij kan er zijn ogen niet van af houden. Hij wil uit dit gesprek weg. Hij baalt. Er is ergens een lek in de groep. Dat moet hij achterhalen. Het is een rotgevoel dat er informatie over hun actie wordt gelekt, terwijl hijzelf van niets weet. 'Er is nóg een complicatie,' zegt de politieman. 'U wilt uw petitie op de markt aan de burgemeester aanbieden. Die wil hij graag in ontvangst nemen, mits daar geen expliciete beschuldiging aan het adres van Petrotec in staat.'

Geke van der Wal heeft het nu helemaal gehad met de politieman. 'Mijnheer Kooiman,' zegt ze met een stem, die haar ingehouden woede verraadt, 'in dit hele gesprek geeft u er blijk dat u alle uitingen van de de-monstratie vooraf wil inzien en ook beïnvloeden. U wil terecht goed geïnformeerd worden over de praktische aspecten van de betoging van mijn leerlingen, zodat u de organisatie goed kunt regelen. Maar dit gaat te ver. Mijn leerlingen hebben het volste recht zich op een manier te uiten die zij zelf willen. Ook als u en uw burgemeester dat niet zo aangenaam vinden, mogen mijn leerlingen publiekelijk aan de orde stellen wie zij verantwoordelijk achten voor de vervuiling van de zee. Het is ook hún zee, ziet u. En het zijn ook hún stran-den, die met olie overdekt zijn. Het gaat om de dood van vele honderden vogels, zeehonden en ontelbaar veel andere zeedieren. Nogmaals, goed dat u ons waarschuwt, maar er is in ons land nu eenmaal een grond-recht dat vrijheid van meningsuiting heet, daar mogen ook mijn leerlingen gebruik van maken.'

Hoofdagent Kooiman krabbelt nu wat terug. 'Het spijt mij als u ik die indruk heb gegeven,' zegt hij, 'maar nogmaals, ik wijs u alleen op de risico's. U moet het zelf natuurlijk verder beoordelen. Daar treed ik niet in.' De hoofdagent trekt zijn gezicht nu weer in zijn strakke plooi en zegt: 'Maar evenzeer als uw leerlingen het recht op demonstratie hebben, zonder natuurlijk de openbare orde te verstoren, heeft de burgemeester het recht de demonstranten niet te woord te staan als hij vindt dat zij de zaken verkeerd voorstellen.'

De politieman zet zijn pet op en staat op. Hij richt zich tot Jan Joustra. 'Zoals ik al zei, wij houden u dus ver-antwoordelijk voor een goed verloop van de organisatie!'

'Gaat u er maar van uit dat ik dat niet vergeten ben,' antwoordt Jan Joustra afgemeten. Als de politieman de deur uit is, blijven Jan Joustra, Geke van der Wal en Mark nog een paar minuten napraten. 'Ik begrijp werkelijk niet hoe die informatie bij Petrotec terecht gekomen kan zijn,' zegt Mark. 'Het moet dan uit onze klas komen. Wie anders?'

'Misschien van Dirk Bouter of een van de andere journalisten,' oppert Geke. 'De pers is natuurlijk altijd heel snel bij alle informatie. Ze kunnen een paar din-gen gecombineerd hebben. Bouter kan bijvoorbeeld di-rect na het interview met jou Petrotec om commentaar hebben gevraagd. Daar ging toen alarm af. Ze zullen direct contact gezocht opgenomen hebben met de po-litie of met de burgemeester.'

'Maar ook Bouter kon niet weten dat Petrotec in de petitie staat. Dat weet ik zelf toch niet eens!' roept

Mark uit. 'Sommige journalisten willen wel eens hun nieuws zelf wat groter maken,' zegt Geke. 'Dan proberen ze hun geïnterviewde uit te lokken, door iets te suggereren dat ze zelf hebben bedacht.'

'Je bent nu in elk geval gewaarschuwd, Mark,' zegt Jan Joustra. 'Er wordt scherp op jullie demonstratie gelet. Ik zou erg voorzichtig zijn met de formuleringen in jullie petitie. Geen onbewezen beschuldigingen of verdachtmakingen.'

Als Mark terug is in het atelier van Frida Malakovic zoekt hij direct Andres op. Die zit in het keukentje te schrijven. 'Hoe ver ben je met de petitie?' vraagt Mark, staand in de deuropening. Andres kijkt op. 'Moet je hem nu al hebben? Je hebt hem toch pas zaterdag nodig?' Mark loopt naar binnen. 'Heb jij met iemand uit de groep over de tekst van de petitie gesproken?'

'Je kijkt zo eigenaardig. Waarom vraag je dat?'

'Iemand heeft tegen Petrotec gezegd dat zij in onze petitie worden aangeklaagd.' Andres sist tussen zijn tanden. 'Een mol in de groep?'

'Of een provocerende journalist.'

'Aan wie denk je?'

'Misschien Dirk Bouter,' zegt Mark. 'Ik zal hem bellen. Maar hoe zit het met jou? Heb jij inderdaad zo'n aanklacht in je petitie opgenomen?' Andres reikt Mark een vel papier aan. Mark laat er zijn ogen over glijden. Het is een concept voor de petitie. Het bevat een paar eisen. Nummer drie vraagt van de burgemeester om een officiële aanklacht tegen Petrotec in te dienen vanwege een grote overtreding tegen de milieuwet. Mark blaast. 'Heb je met anderen hierover gesproken?'

'Ja, je weet hoe dat gaat. Ik heb een paar mensen een eerste concept gegeven om reacties te horen.' Andres voelt nattigheid. 'Maar het was niet meer dan een paar losse krabbels.' Mark beent het keukentje uit. 'Moet ik het nu veranderen?' roept Andres hem na. 'Nee laat maar,' roept Mark terug. 'Eerst de mol zoeken.' Hij roept de klas bij elkaar om verslag te doen van het gesprek met Kooiman. Bewust laat hij het lekken van informatie nog even weg om niet meteen onrust in de groep te wekken. 'O, liggen de kaarten zo?' barst Tooske uit. 'Worden wij kort gehouden door de autoriteiten? Maar dan gaan we er toch juist vol tegen aan, jongens. We zullen ze een stevige poep laten ruiken.'

Terwijl Tooske nog wat doormoppert trekt Markt zich terug in het keukentje. Daar informeert hij Donya dat er mogelijk iemand in de klas zijn of haar mond voorbijgepraat heeft. 'Je moet dat lek wel snel boven krijgen,' zegt zij. 'Je kan er anders veel last van krijgen tijdens de actie'. 'Ik wil voor alle zekerheid eerst Dirk Bouter bellen. Om hem uit te sluiten. En dan de mol in de groep opsporen.'

'Maar pas op, het kan ook per ongeluk gebeurd zijn,' waarschuwt Donya. Ze moet denken aan de ervaringen van haar landgenoten met acties. Daarbij moeten ze altijd oppassen dat er geen informatie voortijdig uitlekt. Soms met opzet, als er een spion is geïnfiltreerd in de groep maar vaak ook iemand uit de groep zelf, die toevallig ergens iets heeft laten vallen. Mark laat in gedachten snel de leden van de groep aan zich voorbijgaan. Als Andres aan een paar mensen een concept heeft gegeven kan natuurlijk iedereen op de hoogte zijn. Zo'n stuk papier slingert snel rond. En Donya heeft gelijk, een klasgenoot kan daar thuis of ergens anders met iemand over gesproken hebben, die connecties heeft met de pers, de politie of met Petrotec zelf. Het kan natuurlijk zijn dat er iemand van familie of kennissen bij dat bedrijf werkt, en dat het gerucht zich zo verspreid heeft. 'Wat moet ik doen?' vraagt hij Donya. 'Ik kan toch moeilijk iedereen gaan ondervragen en screenen? Grote kans dat ik niks aan de weet kom, maar dan heb ik wel een rotsfeer in de groep gecreëerd. Dat kan ik nu helemaal niet gebruiken.' Terwijl Mark met Donya zit te praten stapt Andres binnen. 'Hoe zit het nou Mark, moet ik nu wel of niet Petrotec in de tekst opnemen?' Mark staat in twijfel. Hij moet nu aan veel zaken tegelijk denken. Te veel. 'Laat me je tekst nog eens zien,' zegt hij. Andres geeft hem het vel papier. Daarop staat: *'wij vragen de burgemeester van Middelburg de firma Petrotec voor de rechter te brengen en aansprakelijk te stellen voor alle schade'.* Mark peinst. Dan zegt hij 'Ik vind het te hard. Maak er maar van *'wij vragen de burgemeester de verantwoordelijken voor de rechter te brengen en aansprakelijk te stellen.'*

'Een beetje slap, waarom zwak je het zo af?' vraagt Andres. De bedeesde en teruggetrokken jongen is in de laatste dagen een van actiefste en scherpste actievoerders geworden. 'Omdat ik net van de politie heb gehoord dat de burgemeester de petitie niet komt aannemen als daar de naam van Petrotec in staat als vervuiler.'

Intussen is Peter erbij gekomen. Hij laat zijn zware lijf op een houten stoeltje stoel zakken, dat onder zijn gewicht vervaarlijk begint te kraken. Peter staat vlug weer op. 'En daar leg jij je bij neer?' zegt hij sarcastisch. 'Onze grote actieleider Mark Verburg kruipt weg als hij de verschrikkelijke veldwachter op zijn fiets ziet aankomen, die zijn angstaanjagende stuurbel laat rinkelen.'

'Doe niet zo lullig, Peter, het is een nare zaak,' zegt Mark. 'Je ziet het echt te moeilijk, Mark,' zegt Andres.

'Kijk, jij geeft de petitie aan de burgemeester. Opgerold, met een strik. Hij zal hem heus wel openen en als hij hem niet wil voorlezen dan is er ook niets aan de hand. Dan geven wij gewoon hem gewoon aan de pers.' Mark staat in dubio. Hij probeert snel alle kanten van de zaak te zien. Dat is nu eenmaal zijn aard. Hij wil controle houden. Hij voelt de verantwoordelijkheid voor de groep en de actie zwaar drukken. Hij stapt niet graag in een onbekend avontuur. Dat heeft in het gewone leven zo zijn voordelen omdat hij niet snel verrast wordt in moeilijke situaties. Maar het nadeel is dat hij niet zo spontaan kan handelen en laten gebeuren wat er op hem afkomt. En dat is in een actie als deze nu eenmaal nodig. 'Ik ben bang dat Kooiman morgen ook vooraf inzage in de petitie zal vragen,' zegt Mark. 'Dan komen we met die scherpe tekst nooit bij de burgemeester.'

'Nou en?' zegt Peter. 'Dan lees je de tekst met de eisen toch gewoon op de markt voor.'

'Of je moet een list verzinnen,' zegt Andres. 'Tegen Kooiman zeggen dat je ervan afziet en hem dan pas op het stadhuisplein tevoorschijn halen.'

'Denk jij heus dat Kooiman daarin trapt?' Mark kijkt Andres vragend aan. 'Het is simpel,' antwoordt deze. 'Als je eenmaal op de Markt bent kan hij niks meer doen. We kunnen hem ook een gekuiste versie geven, waar Petrotec niet in staat. Die zal hij wel aan de burgemeester laten lezen. Op het plein haal je dan de volledige, ongekuiste versie te voorschijn. Mét de aanklacht tegen Petrotec. En die geven we ook aan de pers.'

'List en bedrog,' blaast Mark. 'Dat doe ik niet. Dan kies ik liever voor Peter zijn idee. We geven de petitie gewoon niet aan Kooiman.'

'Maar dan weet je bijna zeker dat de burgemeester niet komt,' zegt Andres. 'Dan lees ik hem wel voor op de Markt,' zegt Mark. 'We moeten zelf maar zien hoe dat gaat. Ik kan nu eenmaal niet álles vooraf bedenken. En ik ga Kooiman niet met open ogen bedriegen.'

Terwijl hij tegen ze praat komt de pijnlijke gedachte bij Mark op dat Andres en Peter ook zelf het lek kunnen zijn. Hij moet het lek dichten voordat hij verder kan met de actie. Donya heeft hem gewaarschuwd. Als er werkelijk een mol in de groep zit krijgt hij er in de actie nog meer last van. Dan wordt alles van te voren doorgebriefd naar Petrotec.

'Ik ga zo dadelijk Dirk Bouter van de tv bellen, maar ik denk niet dat hij het lek is. Ik denk dat het van iemand uit onze groep is gekomen.' Het blijft nu akelig stil in het keukentje. Zo'n situatie roept altijd vervelende gevoelens op. Iedereen kijkt dan iedereen aan. 'Ik heb wel een idee hoe het gegaan kan zijn,' gaat Mark verder. 'Andries, jij hebt een conceptje van de petitie laten rondgaan. Iemand uit de klas heeft de informatie daaruit laten uitlekken. Ik zeg niet dat het expres is gebeurd. Het kan ook per ongeluk zijn gegaan. Misschien heeft iemand dat concept thuis of ergens anders laten slingeren. Of er bij toeval over gepraat.'

Het blijft stil.

'Als het met opzet is gebeurd,' gaat Mark verder, 'hebben we een groot probleem. Dan is er een mol in de groep. Maar als het per ongeluk is wil ik het ook graag weten. Als iemand van jullie daarvan iets meer weet, zeg het dan. Dan kunnen we voorkomen dat we nare toestanden krijgen.' Peter trekt wit weg. 'Kom nou Mark,' zegt hij boos, 'dat kun je mij niet aansmeren, je kent me beter.' Ook Andres voelt zich er niet prettig bij. Hij is misschien wel de oorzaak van het lek, maar niet de uitlekker. Mark loopt het keukentje uit. Hij beseft dat hij nu ook de hele klas moet inlichten en roept iedereen bij elkaar. 'Ik geef iedereen de kans bij mij langs te komen,' zegt hij. Hij zet zwaar in. 'Als het lek niet boven komt kan onze actie niet doorgaan.'

Thuis bij het avondeten wordt Mark door zijn huisgenoten flink onder handen genomen over de actie. Aan de ene kant vindt hij het vervelend, aan de andere kant geeft het hem de gelegenheid alles ook zelf nog eens goed door te nemen. Zijn vader is een scherp ondervrager, zonder dat hij Mark het gevoel geeft niet achter hem te staan. Hij laat hem de volle verantwoordelijkheid en wijst hem op mogelijke problemen, maar heeft tegelijk ook sympathie voor de actie. Tenslotte gaan ze voor een goede zaak op pad, dat weet hij ook. Bovendien, Marks vader is advocaat van beroep en hij kent de grenzen van de wet.

Mark droomt die nacht van een boot waarop Tooske Hamelink in haar nakie op de boeg saxofoon speelt. Een raar schip, want het heeft geen achterkant. Die achterkant drijft een stuk verderop en daarop staat Wilco Hiemstra op de oliedrums te rossen. Overal in zee drijven grote zwarte gedaanten op witte tempexplaten. Er vaart een drijvende boerenwagen tussen met het opschrift 'eitilop', wat Mark maar niet kan lezen. Op de kar staat een politieman in de persoon van hoofdagent Kooiman met een megafoon te roepen.

Mark wordt uit zijn droomwereld gerukt door het rinkelen van zijn mobiel. Het is Jan Joustra. 'Ben je wakker?'

'Nu wel,' mompelt Mark.

'Oké, het is nog vroeg Mark, maar je moet het snel weten. Er is rottigheid. Er is een spoedbericht van Petrotec. Ze hebben hun advocaat ingeschakeld. Hij waarschuwt ons dat we geen dingen mogen zeggen die hun 'goede naam' kunnen aantasten. In dat geval zullen ze ons zonder pardon aanpakken en zondig strafvervolging instellen. Ik zal je dat bericht nog wel doormailen, maar dit is de essentie.' Mark is even overdonderd. Het is net half acht. De droomresten spelen nog door zijn hoofd. 'Ik heb ook Geke al gebeld,' hoort hij Jan Joustra verder gaan. 'Ook zij ziet flinke problemen als jullie de naam van Petrotec toch in de demonstratie noemen. Ik weet niet of jullie dat van plan zijn, maar je kunt het dus beter niet doen.'

'En wat als we het wél doen?' vraagt Mark. Hij is nu wakker. Allerlei gedachten flitsen door zijn hoofd. Hij ijsbeert met zijn mobiel door de kamer. Jan Joustra praat op hem in. 'Oké, ik denk erover,' zegt Mark dan en hij loopt naar beneden waar zijn vader aan het ontbijt zit. Mark licht hem met een paar woorden in. 'Feitelijk sommeren ze jullie,' zegt zijn vader. 'Ze pakken het wel hard aan.' Hij neemt een slok van zijn thee, voorzichtig vanwege zijn trillende hand. 'Je hoeft niet meteen te schrikken,' zegt hij, 'het hangt er van af of jullie tekst ook echt aanleiding geeft tot een aanklacht. Zo eenvoudig is dat ook weer niet.' Marks vader werkt op een Haags internationaal verzekeringskantoor en weet ook het nodige van dit soort dingen. 'Het is voor zo'n groot internationaal bedrijf als Petrotec inderdaad heel vervelend wanneer het te kijk gezet wordt door een aantal onschuldige scholieren. Daar kan ik wel in komen. Je moet er dus niet verbaasd over zijn dat ze dat willen voorkomen. Dat proberen ze op deze manier te doen.'

'Maar moeten wij daar gehoor aan geven?' vraagt Mark. 'Weet je pap, wij waren dat eerst helemaal niet van plan, maar de stemming is nu de andere kant op. Dat draai ik niet meer terug. Petrotec gaat nu voor schut wat mij betreft.'

'Ik zou wel wat voorzichtig zijn met de precieze tekst,' zegt Marks vader. 'Maar je hebt het recht om de waarheid te vertellen. Ik denk dat Petrotec toch niet tot het uiterste zal gaan. Dan duikt de hele internationale pers op de zaak. Daar wordt hun naam alleen maar meer mee geschaad. Dat wordt het pas echt een internationale rel, en daar zullen ze geen trek in hebben.'

9

De demonstratie

Het is zaterdag, de dag van de demonstratie. Mark heeft gisteravond nog Dirk Bouter van de Zeeuwse TV gebeld. Bouter bevestigt dat hij niets te maken heeft met informatie aan Petrotec over de petitie. Hij heeft wel contact gehad met dat bedrijf, maar alleen om navraag te doen over de manier waarop zij hun olie laten vervoeren. Hij gelooft ook niet dat zijn collega's van de schrijvende pers zoiets gedaan hebben. Mark kon het maar beter ergens anders zoeken, te beginnen in zijn eigen klas. Dirk Bouter was overigens wel geïnteresseerd in de voorgang van de actie. Mark beloofde dat hij hem weer als eerste zou informeren. Als tegenprestatie zou Dirk Bouter bereid zijn om op de omroep veel aandacht aan de actie te besteden.

De terugmelding van het gesprek met de politie heeft de sfeer in de groep sterk veranderd. Natuurlijk was iedereen zich bewust van de ernst van de olieramp, maar hun actie daartegen zou toch een ludiek karakter houden. Daar was de hele voorbereiding op gericht. Door de harde opstelling van de politie en het ultimatum van Petrotec is daar nu iets bijgekomen, een dreiging waarop zij niet gerekend hadden. Dat legt een schaduw over de actie. Toch wil niemand stoppen. Tooske brengt dat als eerste onder woorden. 'Ik voel er helemaal niets voor om toe te geven,' roept ze, 'het wordt juist spannend nu. Ik stel ook een nieuwe leus voor: Petrotec verrek!' Dit wordt niet serieus genomen. Iedereen kent Tooskes eigenzinnigheid. Meer indruk maakt Kirsten Kappelman Zij is actief in een internationale organisatie die over heel de wereld debatten tussen jongeren organiseert. Zij heeft zich pas vandaag bij de actie kunnen aansluiten omdat zij in het buitenland was. Ze is direct van het vliegveld naar het atelier gekomen en heeft zich nog niet kunnen omkleden. Daarom valt ze uit de toon in haar chique blauwe broekpak en haar rode veterlaarsjes. Met haar zware make-up lijkt ze zo weggelopen uit een internationale vergaderzaal. De meiden gniffelen er wat over, Kirsten wekt nu eenmaal tegengestelde reacties op met haar internationale avonturen. De jongens met een mengsel van mannelijke belangstelling en jongensachtig opzien tegen haar, de meisjes met bewondering en jaloezie. Maar er wordt goed naar Kirsten geluisterd. 'Ik ben het wel met Tooske eens,' begint ze. Haar moeder is een Amerikaanse en daarom klinkt er een Engels accent in haar stem, wat overkomt als geaffecteerd en haar uitstraling nog eens versterkt. 'We moeten nu doorzetten. Misschien moeten we juist nog wat extra's doen. Niet schelden, zoals Tooske voorstelt, maar wel Petrotec stevig neerzetten als vervuiler. Ik geloof niet dat ze ons veel kunnen doen. Ze proberen ons te intimideren, en dat moeten we niet accepteren.'

Mark hoort de discussie zwijgend aan. Hij blijft een ongerust gevoel houden, een zeurend gevoel in zijn maagstreek. Maar hij wil zijn onzekerheid niet laten blijken. Misschien hoort dat gevoel er wel bij als je een actie als deze opzet en de leiding krijgt toebedeeld. Het betekent dat je voortdurend moet opletten hoe de zaak verloopt, hoe de actie bij de mensen over komt, wat de eventuele gevolgen zijn, en of de middelen wel goed in verhouding staan tot het doel. En er is geen handboek actievoeren waarin je kunt opzoeken wat je precies in welke situatie moet doen of juist laten. Zijn ogen zoeken vaak Donya, die nu op de rand van de treurkar zit en de discussie in de groep scherp volgt zonder er zich in te mengen. Zij wil afstand houden en zich niet teveel opdringen. Bij het vertellen van het verhaal over het oliemonster heeft ze heel goed gemerkt dat er een behoorlijke reserve jegens haar in de klas was; ook de nare grap van Peter paste in dat beeld. Mark sprak dat later tegen, maar Donya is daar bijzonder gevoelig voor, dat hebben de jaren in Nederland haar wel geleerd. Hoe vaak heeft ze niet moeten ervaren dat mensen haar ogenschijnlijk vriendelijk behandelden, maar toch telkens heimelijk afkeurend naar haar hoofddoek keken? En hoeveel onbegrip en rare opmerkingen moet ze niet aanhoren; in winkels, in de bus, op straat? Om van de vijandige blikken en schofterige opmerkingen maar niet te spreken. Mark is onder de indruk van haar denkkracht, maar beseft dat hij haar te midden van de hele groep niet kan vragen wat zij van de situatie vindt. Dat zou zijn positie niet sterker maken, alsof hij afhankelijk is van haar oordeel. Hij kijkt met bewondering hoe gemakkelijk Kirsten staat te debatteren. Kon hij dat maar zo! Hij is blij dat ze bij de groep is gekomen. Hij heeft nu meer aan haar dan aan een heethoofd als Tooske Hamelink, hoe belangrijk ze ook is als aanjager in de klas. Zodra Kirsten is uitgesproken wil Mark een conclusie trekken, maar Andres gebaart dat hij nog iets wil inbrengen. 'Wij moeten er rekening mee houden dat de politie vooraf al onze spandoeken wil controleren.' zegt hij. 'Als wij op een spandoek iets hards over Petrotec willen zeggen moeten wij een list verzinnen.'

'Toch niet weer zo'n verdwijntruc als met de petitie?' verzucht Mark. Andres gaat onverstoorbaar verder: 'Ik stel voor dat we een spandoek maken met de tekst 'PETROTEC-OLIEVLEK' en daar een vraagteken achter zetten.' Hij loopt naar de wand van de schuur waar de spandoeken hangen, pakt een kwast verf en zet de leus op een van de doeken. 'Kijk, PETROTEC-OLIEVLEK? Dit laten wij de politie zien. Maar als wij die leus gaan roepen laten we dat vraagteken gewoon weg.'

'Denk jij dat Kooiman zo naïef is?' vraagt Mark. Hij heeft de man meegemaakt. Hij is er niet van overtuigd dat Kooiman dat spandoek zomaar zal laten passeren. Hij heeft gisteren gemerkt dat de politieman geen gemakkelijk iemand is. Hij zal zich toch niet door twee trucs tegelijk in de luren laten leggen? Een met de petitie en dan nog een met het spandoek?

Mark laat het er bij. Hij kan niet alles regelen. Het moet dan maar blijken. Andres deelt intussen flyers uit. Hij geeft iedereen een stapeltje om aan de omstanders op straat uit te delen. In een paar zinnen staat daarop wat het doel van hun actie is. Annette klimt op de wagen om het zeehondenpak aan te doen. 'Broodje zeehond met Annette,' grapt Peter, terwijl hij haar helpt met het vastbinden van de twee stukken board, beplakt met een als zeehond beschilderde doek. Jeanine van Dam doet onwennig een oefenloopje in haar vissenpak. Ook de olievogelcapes worden uitgedeeld. Tooske heeft haar saxofoon bij zich en staat naast de oliedrums op de kar. Wilco Hiemstra slaat een oefenroffel. Het doffe gegalm vult het atelier. Andres roept de hele groep van zo'n twintig mensen bij elkaar om het roepen van de leuzen te oefenen. Als een dirigent heft hij zijn handen. De eerste twee keer hapert het scanderen, maar de derde keer klinkt het al als een maatvast koor:

'O-LIE-BOOT IS VO-GEL-DOOD'
'GIF-BOOT DIE-REN-DOOD'
'PE-TRO-TEC O-LIE-VLEK'

'Nu ons oliemonster nog,' zegt Frida Malakovic tegen Mark. Ze houdt hem een wijde broek van wit plastic voor. Daarna zwaait ze de witte cape over zijn hoofd en schikt die rond zijn schouders. Vervolgens wikkelt ze een paar slagen zwart tape rond de cape. Mark ondergaat het met een gevoel van onrust dat hij al een tijd bij zich heeft, maar dat nu erger wordt, nu het moment van vertrek nadert. Hij beseft: er is nu geen weg terug. Straks staat hij daar in dat rare pak voor het stadhuis, met wie weet hoeveel mensen op het plein. Dat benauwt hem behoorlijk. Frida Malakovic drukt hem nog de muts op zijn hoofd, die hij zelf uit de rommel heeft gehaald. Mark voelt zich hopeloos opgelaten. Hij strompelt een paar passen in zijn monsterpak en kijkt ongelukkig naar Donya. Die schiet in de lach en proest het uit. Zo aanstekelijk dat iedereen begint mee te lachen, wat Mark zich nog ongemakkelijker doet voelen. Hij ziet er inderdaad eerder lachwekkend dan dreigend uit in dat monstergewaad. Gebrul van de megafoon schrikt hem op. Andres houdt hem dicht bij Marks oor. 'Niet dromen, jongen. Kom op naar buiten.' De wagen wordt naar buiten geduwd. Anna Marinisse spant het trekpaard voor de kar. Op haar brede rug ligt als zadel een houten vlondertje met twee zijschotten, met singels onder de buik van het paard gebonden. Op de zijschotten zijn foto's van olievogels en zieke zeehonden geplakt. Als een pluim staat op het hoofd van het paard een fraai zeepaardje van gevlochten groen ijzerdraad: een kunstig werkje van Frida Malakovic.

Mark probeert op de kar te klimmen. Peter houdt hem tegen. 'Nee Mark. Jij gaat niet op de kar,' zegt hij grijnzend. 'We hebben voor jou een ereplaats. Jij mag op het paard.' Mark staart angstig naar dat grote dier, dat staat te briesen en met zijn hoef in de grond trapt. Mark heeft wel eens op een paard gezeten, in de manege voor een rondje, maar dit is iets heel anders. Anna Marinisse kent het paard door en door. Met zacht gefluister kalmeert ze de merrie. Het dier is door deze ongewone toestand even zenuwachtig als Mark. 'Til Mark er maar op,' zegt ze tegen Peter en Andres. Mark krijgt zijn been niet ver genoeg omhoog; de stijve plastic broek zit in de weg. De jongens nemen hem op hun schouders en zetten hem op het vlondertje. Daar blijft hij op zijn knieën zitten en kijkt angstig om zich heen. De klas staat geamuseerd te kijken. 'Je kunt gerust gaan staan,' roept Anna Marinisse. 'Dat moet je straks op het plein bij het stadhuis ook doen.' Mark komt langzaam overeind. Het is even wiebelen met de knieën, maar hij voelt dat het paard rustig staat. De rug beweegt niet. Het is een indrukwekkend geheel; als een olifant met een berijder. Of een middeleeuws toernooipaard met een staande ruiter. Klaas Oldenburg maakt foto's. Hij zal de optocht begeleiden en er een fotoreportage van maken voor de bladen.

'Je kan zo naar het circus,' lacht Peter. 'Hoog Geeerd Publiek. Hier is onze grote Mark Verburg met zijn Oliemonsteract.'

'Als dat paard gaat lopen kieper ik er vanaf.' roept Mark. Hij omklemt met zijn handen krampachtig de randen van het smalle vlondertje. Anna Marinisse neemt het paard bij de teugel en klakt met haar tong. De wagen komt in beweging, toegejuicht door de campinggasten, die zijn toegelopen om het schouwspel te zien. De kar rolt de weg op, richting Middelburg. De kadavers van de olievogels hangen aan de stagen van de mast en bewegen mee met het wiebelen van de kar. De plastic zeilen flapperen in de wind, Het is haast- en knutselwerk, maar alles blijft zitten, ook al kraakt en piept het. Annette en Jeanine hebben een positie ingenomen bij de voorste mast. Tooske en Wilco staan achterop de kar, bij de oliedrums. Andres en Peter hebben een olievogelpak aangetrokken en zitten op de voorkant. De benen over de rand. Aan weerskanten van de kar lopen vier olievogels. Twee erachter. De spandoeken liggen opgerold op de kar. Zoals met Kooiman afgesproken, worden die pas in Middelburg ontvouwd. Donya loopt naast het paard en houdt een oogje op Mark. Die is op het vlondertje gaan zitten en kijkt wat ongemakkelijk voor zich uit. Jeanine staat in haar vissenpak te wankelen. Het is zo licht dat het nogal wat wind vangt. Zij moet zich aan de mast vastklemmen om zich staande te houden. Andres schiet haar te hulp. Hij bindt het houten geraamte aan de mast, zodat Jeanine nu steviger staat, maar tegelijk ook vast zit aan de mast. 'Ik kan je geen mannelijke sirenes aanbieden,' zegt Andres. Jeanine lacht. Zij kent ook het verhaal uit de Griekse mythologie, waarin de held Odysseus zich aan de mast van zijn schip laat vastbinden om niet te bezwijken voor het verleidelijke gezang van de mooie Sirenen die hoog op de rotsen hun betoverend lied zingen, en zo de zeelieden ertoe brengen hun schip te verlaten.

Op de weg naar Middelburg toeteren auto's, of het nu uit vrolijkheid of ergernis is over die eigenaardige optocht. Fietsers zwaaien en sommigen stappen af om het schouwspel te volgen. Al na een paar minuten nadert een politieauto die voor hen uit gaat rijden. Het is een escorte om geen problemen in het verkeer te krijgen. Achter de stoet begint zich een file te vormen. 'Het lijkt wel een échte begrafenis,' zegt Peter tegen Andres. 'Daar horen trommelslagen bij,' antwoordt Andres. 'Omfloerste trommels. Weet je wel. Dat hoort bij treurmarsen.' Hij gebaart Wilco dat hij kan beginnen met slaan. De doffe slagen op de oliedrums klinken luid over de weg, begeleid door de slepende klanken van Tooskes saxofoon. Hun samenspel kost weinig moeite. De twee kennen elkaar van de schoolband, waarvan Wilco vast lid is en Tooske regelmatig te gast. Er komen nu twee politieagenten te paard de stoet begeleiden. Zij dragen een rijbroek, ruiterjas en een helm, maar Mark herkent direct politieman Kooiman. Deze stuurt zijn paard langs Mark. 'Keurig op tijd,' complimenteert Kooiman. 'Indrukwekkende stoet. Mooi gedaan.' Dat klinkt een stuk vriendelijker dan gisteren. 'Wij zullen jullie naar de markt begeleiden,' zegt Kooiman. 'Daar wordt jullie demonstratie ontbonden.'

'Wat bedoelt u eigenlijk met ontbinden?' Mark blijft op zijn hoede.

'Dan is jullie demonstratie afgelopen en gaan jullie gewoon naar huis.'

'En de petitie dan? Die willen wij voor het stadhuis aan de burgemeester aanbieden.'

'De burgemeester heeft aan mij laten weten dat hij geen tijd heeft om vanmiddag een petitie aan te nemen. Hij heeft het erg druk met de ramp.'

Mark voelt zijn irritatie snel groeien. Daar heb je het gedonder weer. 'Wij worden toch niet gepiepeld, hè?' zegt hij scherp. Er verschijnt een minzaam lachje op het smalle gezicht van de politieman. 'De burgemeester heeft het druk met het crisisteam. Als je wilt kunt je de petitie aan ons meegeven. De burgemeester wil daar later dan wel een reactie op geven. Dat is toch geen piepelen, zoals jij dat noemt?' Mark denkt snel na. Ze hebben het er uitvoerig over gehad in de groep. Hij moet het spel nu goed spelen. Hij kijkt Kooiman nog eens aan. Die kijkt vriendelijk terug vanonder zijn opgeklapte helm, Mark vertrouwt hem toch niet. Misschien heeft Kooiman zelf de burgemeester wel geadviseerd om het zo te doen. Mark draait zich om en kijkt naar Andres. Die heeft het gesprek vanaf de wagen gevolgd en beduidt Mark met een handgebaar dat hij het er beter bij kan laten. Dat past tenslotte goed in hun plan. 'Jammer, dat de burgemeester geen tijd heeft,' zegt Mark zo onschuldig mogelijk. Hij wacht op de reactie van Kooiman. Maar die wordt afgeleid door een onverwachte manoeuvre van een brommer die schuin voor zijn paard oversteekt. Hij trekt zijn paard opzij en begint een discussie met de berijder van de brommer. De kar rolt verder. Dan komt Kooiman weer terug. Hij rept niet meer over de petitie, maar zegt: 'Mag ik de spandoeken zien?' Hij is de petitie blijkbaar vergeten of ziet het belang ervan niet meer, nu de burgemeester hem toch niet aanneemt. De spandoeken worden een voor een uitgerold en voor de politieman opgehouden. Als de politieman het spandoek PETROTEC - OLIE-VLEK? ziet vraagt hij Mark om uitleg. Als Mark hem vertelt dat het juist om het vraagteken gaat, ziet hij dat Kooiman er moeite mee heeft. Hij wisselt een paar woorden met zijn collega en zegt dan: 'Deze geeft problemen. Die andere zijn prima.' Mark wisselt een snelle blik met Andres die met een stalen gezicht op de kar het gesprek volgt. 'Ik moet even overleggen met mijn mensen,' zegt Mark. Hij roept Kirsten Kappelman bij zich en legt haar de situatie uit. Dat de politie problemen heeft met het spandoek, maar dat ze volgens Geke van der Wal alle recht hebben om dat spandoek mee te voeren. Kirsten vraagt wat tijd om met haar vader te bellen. Die is als advocaat verbonden aan een groot kantoor in Den Haag. Na een paar minuten is ze weer terug. Haar deftige verschijning maakt ook zichtbaar indruk op de politieman. 'U kunt ons dit niet verbieden,' zegt ze zelfverzekerd.'Wij beledigen niemand en als Petrotec het een probleem vindt kunnen ze ons aanklagen. Zo eenvoudig is het. Wij zijn geen gevaar voor de openbare orde met dit spandoek.' Kooiman hoort de boodschap aan, zegt geen woord, wendt zijn paard en gaat weer voor de stoet lopen. Zo bereikt de optocht de eerste straten van Middelburg. Andres gaat nu naast de kar lopen, de megafoon in de aanslag. Als hij bij het binnengaan van de stad het gele busje van Omroep Zeeland ziet staan zet hij de megafoon aan zijn mond en schreeuwt: 'We worden gefilmd. Nu omhoog met die spandoeken.' De olievogels houden de spandoeken omhoog. Ook die over Petrotec, nu nog met het vraagteken. De leuzen schallen door de smalle straten van de oude stad. Er komt steeds meer publiek. Die vreemde dodenkar trekt aan met zijn wonderlijk uitgedoste figuren, dat doffe gedreun van de oliedrums, de steeds herhaalde leuzen en niet te vergeten het massieve paard met zijn vreemde berijder. De vlugschriften vinden hun weg naar de omstanders. De meeste mensen reageren positief. Blij dat er actie gevoerd wordt voor iets dat hen ook hard treft: de vervuiling van hun stranden en het dierenleed. Ook de dodenboot krijgt veel complimenten. Maar niet alles gaat goed. Vanuit de menigte wringt zich plotseling een schreeuwende man naar voren, die met opgeheven vuist voor het paard springt. Het dier schrikt en doet een stap opzij om de man te ontwijken. Mark is er niet op bedacht en verliest zijn evenwicht. Hij kapseist en glijdt van de vlonder af, schuift langs het zijschot en komt hard op straat terecht. Zijn linkerarm en knie schuren over de keien. In de pijnlijke schaafwonden welt het bloed op. Hij wil snel weer opstaan, maar zijn enkel weigert. Het doet hem gemeen zeer. 'Niksnutten. Lanterfanten!' staat de aanvaller te schreeuwen, terwijl Mark probeert overeind te komen. 'Hebben jullie niets beters te doen dan een beetje rotzooi te trappen in onze stad? Lekker een rel schoppen zeker en zelf niks doen! Opdonderen, dat moeten jullie!' De man probeert de leidsel uit Anna's handen te trekken en begint met zijn schouder tegen het paard aan te duwen. Maar je kunt even goed een olifant proberen weg te duwen als een Zeeuws paard. Anna heeft het dier na de eerste schrik weer onder controle en het staat er weer rotsvast bij. Politieman Kooiman is van zijn paard gestapt en loopt naar de nog steeds tierende man toe. Hij neemt hem bij de arm en zegt rustig, alsof hij hem jaren kent: 'Kom maar mee, Ome Daan. Zo is het wel weer genoeg. Even de roes uitslapen op het bureau, dan gaat het wel weer vandaag.' Met zachte drang brengt hij de man naar de politieauto achter de kar. De man gaat scheldend en vloekend mee. 'Heb je je erg bezeerd?' vraagt de collega van Kooiman, zich van zijn paard naar Mark toebuigend.

'Valt wel mee. Een paar schaafwonden,' kreunt Mark, de pijn verbijtend. Hij wil zich niet laten kennen, zeker nu niet. Hij krabbelt overeind, terwijl Donya met haar zakdoek zijn arm en knie wat schoon veegt. Uit de politieauto komt een agent met een verbanddoos. 'Wat is dat voor een idioot?' vraagt Mark. 'Ome Daan,' zegt de agent. 'Driftkop. Vooral als hij gedronken heeft. Dan móet hij ruzie maken. Geeft niet met wie. En daarna slaapt hij zijn roes uit. Hij is verder ongevaarlijk. Jij was vandaag een mooie aanleiding voor hem.' Mark krijgt een paar pleisters op arm en knie, en een steunverband om zijn enkel. Daarna wordt hij weer op het paard geholpen. Hij moet aan het beeld van wielrenners op de tv denken als ze gevallen zijn en daarna met pleisters en verband, weer op hun fiets zitten. Het is een zeurende, schurende pijn. Maar hij wil nu niets laten merken en geeft het sein dat de stoet weer verder kan. Ze naderen het Marktplein, waar al heel wat mensen staan te wachten. De aankondiging van de demonstratie op radio en tv heeft gevolg gehad.

'Zenuwachtig Mark?' roept Donya naar boven. 'Behoorlijk,' antwoordt Mark eerlijk. 'En ik heb flink pijn.' De pleister op zijn knie heeft losgelaten en de open wond schuurt nu langs het plastic van zijn monsterpak. Maar hij moet zijn hoofd bij de betoging houden. De twee agenten te paard houden een pad tussen de mensen vrij, waardoor de treurwagen het plein op kan rijden. De leuzen van de spandoekdragers klinken luid over het plein, gesteund door het doffe dreunen van de oliedrums en het droeve geluid van Tooskes saxofoon. Mark voelt het zweet onder zijn pak over zijn rug lopen. Het jeukt en prikt, maar hij kan niet krabben. De pijn in zijn knie en elleboog zeurt door, en zijn mond is kurkdroog. Er flitsen allerlei vragen door zijn hoofd. Moet hij zo dadelijk rechtop op het vlondertje op de paardenrug gaan staan om zijn toespraak te houden? Of juist van het paard af klimmen en zijn toespraak op de trap van het oude stadhuis houden? Zal de burgemeester misschien toch nog naar buiten komen? Wat moet hij dan doen? En als hij niet komt? Hoe moet hij de petitie presenteren? Wat is het goede moment? Wat kan hij van de media verwachten? Moet hij zelf initiatief nemen of zullen zij dat doen? Hoe moet hij het verhaal van Donya over het oliemonster vertellen? Het is eigenlijk niet zijn verhaal, kan hij dat dan wel goed overbrengen? Waar is Jan Joustra en waar Geke van der Wal? Zijn zijn ouders ook op het plein? En de directeur van de school? Hij heeft nu zelfs geen controle meer over de vragen die in zijn hoofd opkomen, als belletjes in een flesje cola dat geschud is. Het duizelt Mark. Zijn moed zakt compleet weg. Was hij er maar niet aan begonnen. Zo gaat dat dus. Je hebt een idee en ineens gaat dat met jou op de loop. Er gebeurt van alles om je heen en je denkt dat je alles controleert, maar eigenlijk controleren de gebeurtenissen jou. Heeft hij wel aan alles gedacht? Hadden ze niet beter een draaiboek kunnen maken, zoals bij de film? Zodat je precies weet wanneer een bepaalde scene volgt. Zijn mond is zo droog dat hij misschien geen woord kan uitbrengen.

Over het plein komt een luid claxonnerende bestelauto aangereden, die zich met een geel zwaailicht tussen de mensen door wringt. Het is de omroepauto van Dirk Bouter. Zijn cameraman springt eruit en begint direct met filmen, terwijl Dirk Bouter de trap van het stadhuis oploopt. Bij de ingang wordt de televisiereporter tegengehouden door een bode in uniform, die hem duidelijk maakt dat hij niet naar binnen mag. Met een verontwaardigd gezicht blijft Dirk Bouter demonstratief vlak voor de bode staan, belt even met iemand en loopt dan de trap weer af. Hij stapt rechtstreeks op Anna Marinisse af, die de leidsel van het paard losjes in haar ene hand heeft en met de andere hand de hals van het paard streelt om haar in de drukte op haar gemak te stellen. 'Wat gaat er nu gebeuren?' roept de reporter omhoog naar Mark. 'Wanneer bieden jullie de petitie aan?' Mark begrijpt dat hij nu aan zet is. Nu moet het gebeuren. Dirk Bouter wenkt zijn cameraman naar zich toe. Hij komt dicht bij het paard staan en begint zijn inleiding voor de reportage 'Goedemiddag dames en heren,' zegt hij in de microfoon. 'Wij zijn nu rechtstreeks in de uitzending vanuit Middelburg, waar een groep scholieren een protestdemonstratie tegen de olieramp houdt. Ik sta hier bij actieleider Mark Verburg, die verkleed is als een spook uit zee. Hij zal zo dadelijk een petitie aanbieden aan de burgemeester.' Hij houdt de microfoon omhoog naar Mark, die zich vanaf zijn vlonder een beetje laat zakken om goed in de microfoon te kunnen spreken. 'Dat klopt, wij willen een petitie aan de burgemeester aanbieden. Maar het is nog niet duidelijk of de burgemeester die wil komen aannemen. Daar wachten wij op.' De reporter trekt de microfoon weer naar zich toe. 'Wij hebben zojuist gehoord dat hij niet zal komen. Wat is jullie reactie daarop?' Mark denkt bliksemsnel na. Dirk Bouter is goed geïnformeerd. Maar Mark wil de onzekerheid er bewust nog even inhouden. Om de spanning op het plein op te voeren. Misschien dat de burgemeester dan alsnog besluit naar buiten te komen. 'Ik wacht gewoon af of hij wel of niet komt, en dan...' zegt Mark. 'Wat zijn jullie eisen?' onderbreekt Dirk Bouter hem. Mark zucht. Die man geeft hem nauwelijks de kans te antwoorden. Elke keer haalt hij de microfoon weg om weer een nieuwe vraag te stellen en dan steekt hij dat ding weer onverhoeds onder zijn neus voor een reactie. 'U moet toch even geduld hebben,' zegt Mark afhoudend. Maar Bouter kent zijn vak. Hij geeft Mark geen tijd om op adem te komen. 'Komen er harde acties?'

'Dat weet ik nog niet. Misschien, als dat nodig is. Maar ik ga nu eerst iets tegen de mensen hier op het plein zeggen.' Mark wil niet al te lang met de verslaggever blijven praten. Hij voelt dat de mensen op het plein iets van hem willen horen. Hij werpt nog een snelle blik op het stadhuis om te zien of daar iets gebeurt. Maar de bode staat nog steeds onverstoorbaar voor de ingang. Dan besluit Mark te handelen. Hij gaat rechtop staan op de rug van zijn paard. Hij verbijt zijn pijn en duwt al zijn hinderlijke vragen weg. Zijn blik dwaalt over de hoofden van de mensenmenigte die nu het hele marktplein van Middelburg heeft gevuld.

10

Het Stadhuis bezet

Hoog op zijn paard in dat witte gewaad met fladderende sjerpen lijkt Mark weggelopen uit een stripver-
haal. Een rare kruising tussen Sinterklaas en een spook.
De mensen op het marktplein staan verwachtingsvol
naar hem te kijken. Mark voelt zich vreselijk opgelaten.
Nu komt het op hém aan. De oliedrums van Wilco
en de saxofoon van Tooske zwijgen. De olievogels aan
de masten wiebelen zacht heen en weer. De plastic zeilen flapperen licht. Er komt een vreemde stilte over het
plein, als bij een begrafenis. Mark wisselt een snelle blik
met Donya beneden hem en zet dan de megafoon aan
zijn mond. Fotografen schieten toe en de camera van
Omroep Zeeland wordt op hem gericht. Wilco slaat
een inleidende roffel op de olievaten. Mark haalt diep
adem, vergeet zijn droge mond en verbijt de pijn van
de schaafwonden.

'Hier staat het Oliemonster,' begint hij. Zijn stem
trilt, zijn knieën knikken en het weeë gevoel in zijn
maag is opgekropen naar zijn keel. Maar hij moet nu
verder. Hij moet zijn rol als Oliemonster spelen.

'Ik ben hier om u te waarschuwen. De zee is in gevaar. Overal is olie en gif. Het wordt elke dag geloosd
in de rivieren en in de zee. Uit olieleidingen, uit schepen, uit boorplatforms. Als het zo doorgaat ziet alles
er straks net zo treurig uit als de zeehond, de vis en de

vogels die wij met ons treurschip meevoeren. Kanker en pest, stinkend water, dood en verderf.' Gaandeweg wordt Marks stem vaster. Hij heeft de tekst die Donya hem gegeven heeft niet nodig. 'Zoals u ziet ben ik niet alleen gekomen.' Hij geeft Annette en Jeanine een teken. 'Ik stel u eerst voor aan de Puistvis!' roept hij dan. Wilco slaat een roffel op de oliedrums en Jeanine loopt in haar vissenpak een paar passen op en neer. Tooske begeleidt haar op de saxofoon. Als op een catwalk in een modeshow, maar dan wel een heel enge. De mensen op het plein begrijpen wat er van hen wordt verwacht en beginnen te klappen. Achter op het plein heeft zich een grote groep studenten van de Middelburgse Roosevelt Universiteit verzameld, die met elkaar hebben afgesproken de demonstratie te ondersteunen met joelen en fluiten. 'U ziet het zelf.' gaat Mark verder met zijn megafoon. 'Deze vis zit vol puisten en gezwellen. Denk niet dat ik overdrijf. Zulke vissen zie ik dagelijks in de zee rondom mij. Ze worden door uw vissers ook wel gevangen. Maar u begrijpt wel dat de vissers ze liever niet op de markt brengen. Ze gooien ze direct weer overboord. Ze zijn bang dat u zich ongerust zou maken en geen vis meer wil eten!' De studenten op het plein hebben de smaak te pakken. De laatste woorden van Mark worden met gefluit en gejoel onderstreept. 'Nu stel ik u voor aan de gifhond,' roept Mark, terwijl de oliedrums weer een roffel geven. Annette schuifelt heen en weer in haar pak en klappert met haar armen als een echte zeehond. 'Deze gifhonden kent u wel,' roept Mark. 'Ze worden vaak op het strand gevonden of door vissers opgepikt. Ze zijn ziek geworden door het inslikken van olie- en gifwater. Hun longen worden aangevreten door wormen, hun maag en darmen verschroeid door agressieve chemicaliën. Enkelen kunnen worden gered, de meesten creperen in pijn en kramp.' De studenten achter op het plein schreeuwen spontaan 'boe' en 'schande'. De mensen op het plein nemen dat over, zodat het luid over het plein schalmt. Mark maakt een vooraf afgesproken gebaar naar Andres. Dan gaan de spandoeken van de olievogels weer omhoog. Tegelijk begint Andres als een floormanager de mensen op het plein aan te moedigen om de leuzen mee te schreeuwen. Wilco ondersteunt het scanderen met ritmische slagen op de drums. Aan het eind van elke leus laat Tooske een korte solo op haar sax horen. De scholieren achter op het plein doen als eersten mee. Daardoor aangestoken volgen de mensen op het plein. Het plein deint nu van de mensen die de leuzen hard meeschreeuwen. Intussen is er geen spoor van de burgemeester. Wel zijn er paar mensen uit het stadhuis op het bordes komen staan en ook vanachter de ramen wordt er nieuwsgierig naar buiten gekeken. Mark heft zijn handen om de menigte tot stilte te bewegen. 'U hebt onze Olievogels natuurlijk al gezien,' roept hij in de megafoon. 'Zij zijn de grootste slachtoffers van olielozingen. Hun verenkleed wordt aangetast en laat water door, waardoor zij ziek worden van kou. Zij slikken de olie in, waardoor hun slokdarm verbrandt en ze gruwelijke pijnen lijden. Zo sterven ze dan langzaam in de olie. Er liggen er nu al enkele honderden op het strand en het einde is nog lang niet in zicht.' Terwijl hij zijn verhaal vertelt werpt Mark onrustige blikken op de ingang van het stadhuis. Hij weegt zijn volgende stap af. Er is een kans dat de burgemeester bij het zien, en vooral ook het horen, van die grote menigte mensen alsnog naar buiten komt. Maar Mark kan niet te lang wachten. Als het te lang duurt, kan de spanning op het plein wegvallen. Hij moet dus op tijd handelen. Maar wat te doen? Toen Kooiman hem bij het begin van de demonstratie liet weten dat de burgemeester niet zou komen, kwam er een gedachte bij Mark op: 'als de burgemeester niet naar buiten komt, ga ik naar binnen.' Hij besluit het nog even te rekken en verlengt zijn toespraak. Hij verbaast er zich zelf over, maar de woorden rollen nu geïmproviseerd uit zijn mond. 'Beste mensen,' roept hij, 'ik zei u daarnet al, ikzelf ben een Oliemonster, dat uit zee is gekomen om u te waarschuwen. Zo ontzaglijk smerig kunnen alle wezens op aarde er gaan uitzien als het zo doorgaat met de vervuiling en vergiftiging. De mens ook. Wilt u er ook zo uitzien?' Hij houdt zijn linkerhand bij zijn oor om zo de mensen uit te lokken hard 'NEE' te schreeuwen en dat doen ze dan ook. Hij herhaalt dat nog een keer. De mensen op het plein hebben er nu echt zin en de studenten stoken de boel flink op. Mark voelt dat hij de mensen meekrijgt en dat de spanning verder oploopt.

In een hoekje bij het raadhuis staat hoofdagent Kooiman met een verbeten trek om zijn mond naar de demonstratie te kijken. Hij zoekt Jan Joustra op die tussen de mensen op het plein is gaan staan. Ze praten even met elkaar. Dan werkt Jan Joustra zich naar voren, naar het paard van Mark. Met zijn handen als een toeter rond zijn mond roept hij tegen Mark: 'De burgemeester komt niet. Hij kan zich niet vrijmaken. Je hoeft niet op hem te wachten' Mark is niet verrast. Dat had Kooiman immers al met zoveel woorden aangekondigd. Dan treedt nu plan B in werking. Terwijl de menigte voor hem doorgaat met jellen en klappen, zet hij de megafoon aan zijn mond: 'Beste mensen, ik moet u iets belangrijks zeggen.' Hij wacht even tot het wat stiller geworden is. 'Wij zijn hier vandaag gekomen om de burgemeester een petitie aan te bieden. Daarin vragen wij hem iets tegen de olievervuiling te doen. Maar de burgemeester wil hier niet in het openbaar onze eisen in ontvangst nemen. Wij begrijpen dat niet. We staan hier met zijn allen voor een goede zaak. Daarom lees ik nu onze petitie aan u voor.'

Op het plein klinkt instemmend gejoel. Jan Joustra staat ongerust naar Mark te kijken. Op deze manier zet hij de menigte tegen de burgemeester op. Maar Mark is niet meer te houden. En de mensen op het plein ook niet. Het gejoel gaat over in geroep: 'Lees voor! Lees voor!' En achter op het plein klinkt: 'Actie! Actie!' Met veel gevoel voor theater wikkelt Mark het rode lint van de rol papier af. Hij wacht nog even om de spanning verder op te voeren. Het wordt doodstil op het plein. Mark zwaait met de rol. De oliedrums roffelen. 'Hierin staan onze eisen. Hierin staat wat wij de burgemeester willen laten weten en wat hij blijkbaar niet wil horen.'

En weer klinkt op het plein: 'Lees voor! Lees voor!' In de menigte op het plein staat ook Donya. Ze volgt scherp wat Mark doet. Ze merkt dat hij zijn zenuwen kwijt is. Hij gaat nu doorzetten. Als hij maar niet in een roes raakt door het samenspel met die grote menigte op het plein. Dat kan roekeloos maken. Mark heeft de megafoon als een volleerd actieleider dicht bij zijn mond. Alsof hij het al honderd keer gedaan heeft. 'Wij, leerlingen van Walchria kunnen niet zomaar accepteren dat onze zee en ons strand wordt vervuild door olie en gif. Daar moet een eind aan komen. Wij vinden dat de regering van ons land veel scherpere regels stelt voor olie- en giftransporten. Met zware straffen bij overtreding.' Mark kijkt op van het papier. De mensen hangen aan zijn lippen. Hij aarzelt nog even. Wat nu komt kan hem een hoop narigheid opleveren. Dat is hem wel voldoende door Kooiman ingewreven. 'Wij weten dat voor de ramp van gisteren één bedrijf heel duidelijk verantwoordelijk is. Wij weten dat dit de firma Petrotec is. Wij hebben daarom de volgende drie eisen.

- PETROTEC moet aangeklaagd worden wegens een misdaad tegen het milieu en de dieren die daarin leven.
- PETROTEC moet alle schoonmaakwerk van de ramp vergoeden
- PETROTEC moet betalen voor al het werk dat de zeehonden- en vogelopvangcentra moeten doen om de dieren weer op te lappen.

Vanuit haar positie op het plein ziet Donya hoofdagent Kooiman met grote stappen de trap van het stadhuis oplopen. Dit moet wel gedonder opleveren. De firma Petrotec wordt nu keihard in het openbaar aangewezen als de verantwoordelijke voor de vervuiling. Hiermee gaat Mark een grens over. Jan Joustra, die een plekje naast de kar heeft gevonden, begint zich ongemakkelijk te voelen. Hij heeft zich immers borg gesteld voor deze demonstratie. De mensen op het plein zijn het helemaal eens met de eisen. Ze klappen steeds harder en er wordt weer om 'actie' geroepen. Mark laat zich, zo snel hij dat in zijn monsterpak kan, van het paard glijden, let niet op Donya die hem iets toeroept, en holt naar de trap van het stadhuis. De petitie opgerold onder zijn arm. Met zijn plotselinge actie verrast hij iedereen. Onderaan de trap staan twee agenten die hem de doorgang willen beletten. Hij wordt aan zijn schouder getrokken door Dirk Bouter, die hem met zijn cameraman op de hielen is gevolgd. Direct wordt de camera op Mark gericht.

'Nu de burgemeester niet naar buiten komt,' vraagt de reporter, 'wat gaan jullie nu doen?'

'Ik ga onze petitie hier in het stadhuis afgeven.' Mark wil doorlopen, maar de agenten doen een stap naar voren en versperren hem de doorgang, zodat hij tegen ze op botst. 'Maar dan moet ik wel eerst door deze agenten hier worden doorgelaten'.

'Jullie hebben heel duidelijk de firma Petrotec beschuldigd,' zegt Dirk Bouter en hij duwt de microfoon onder Mark zijn neus. Voordat Mark iets kan zeggen hoort hij de hijgende stem van Jan Joustra achter zich. 'Mark, luister naar me. Het kan nu behoorlijk uit de hand lopen.' Mark maakt een wegwuivend gebaar in zijn richting. Hij heeft het nu wel gehad met de voorzichtigheid van Jan Joustra. Hij voelt de steun van de mensen op het plein. Hij gaat dóór. Dirk Bouter voelt de spanning tussen Mark en Jan Joustra. Hij richt de microfoon naar Jan Joustra. 'Mag ik vragen wie u bent?'

'Mijn naam is Joustra. Ik ben docent op Marks school en begeleid deze klas.'

'Begeleid u dit ook?' het klinkt provocerend. 'Deze actie?'

'Ik voel mij daarbij wel betrokken. Maar de klas heeft deze actie zelf gekozen en uitgevoerd.'

'Staat uw school hierachter?'

Jan Joustra voelt dat hij nu op zijn woorden moet letten. Maar Geke van der Wal heeft zich gehaast om bij Jan Joustra te komen staan en schiet hem te hulp. Zij lost de vraag van Dirk Bouter handig op. 'Wie kan er niet achter deze actie staan, als je die smeerboel op het strand gezien hebt?' zegt ze vragend.

'Is Petrotec schuldig in uw ogen?' vraagt Dirk Bouter.

'Schuldig is een zwaar woord. Maar van verantwoordelijkheid kun je toch wel spreken,' antwoordt Geke diplomatiek. Terwijl Dirk Bouter zijn vragen stelt houdt hij zijn blik gericht op Mark en de politieagenten. Hij wil het niet missen als daar iets gebeurt. Hij hoeft er niet lang op te wachten. Mark wringt zich met duwen en trekken tussen de twee agenten door en weet de trap op te komen. De agenten gaan hem achterna. Dirk Bouter voelt het nieuwsmoment aankomen en geeft de cameraman een wenk mee te gaan. Boven op het bordes kan Mark niet verder. Er staan wat mensen die de ingang blokkeren. Hij wordt door de agenten van achteren vastgegrepen en naar beneden getrokken. Hij valt, glijdt een paar treden van de stenen trap naar beneden en blijft beduusd liggen. Onder het oog van de camera van Omroep Zeeland proberen de agenten hem snel weer overeind te trekken. Mark kreunt van pijn. De schaafwonden op zijn knie en elleboog zijn weer opengetrokken en bloeden. Zijn pijnlijke enkel heeft door het schuiven over de trap weer een tik gehad. Er komt een rode waas voor zijn ogen. Mark is al niet de zwakste, maar de woede geeft hem nu reuzenkracht. Alsof het oliemonster nu pas echt tot leven komt. Kwaad duwt hij de agenten van zich af en vliegt in een spurt de trap weer op, werkt zich tussen de mensen door en loopt de hal van het stadhuis in. Dirk Bouter volgt Mark op de voet, met zijn cameraman in zijn kielzog. In de hal staan een paar bezoekers van het stadhuis. Ze kijken met een mengeling van verbazing en afkeer naar die woest uitziende figuur die met zoveel geweld naar binnen stormt. 'Waar de is de burgemeesterskamer?' vraagt Mark. 'Die hebben wij hier helemaal niet meer,' zegt een ambtenaar. Dat is een misrekening voor Mark. Dat heeft hij zich niet gerealiseerd. Het gemeentehuis van Middelburg is vanuit het oude raadhuis naar een nieuw gebouw verplaatst ver buiten het centrum. Het fraaie oude stadhuis nu heeft een andere functie; het is van de Middelburgse universiteit en wordt alleen nog voor bijzondere gelegenheden door de gemeente gebruikt. Even aarzelt Mark. Zijn hoofd bonst. Hij ziet de bode dichterbij komen, gevolgd door de twee agenten. Hij spurt de hoge trap op naar de grote vergaderzaal. De deur is dicht. De deur aan de andere kant staat open. Het is de oude vergaderkamer van het college van burgemeester en wethouders waar eeuwenlang over het reilen en zeilen van de stad is beslist. Een man in uniform wil hem de weg versperren, maar Mark duwt hem opzij en wringt zich naar binnen. 'U kunt zomaar niet naar binnen hoor!' roept de bode hem achterna. In de kamer is niemand. Even staat Mark in twijfel. Dan roept hij naar de bode, die bedremmeld bij de deur is blijven staan: 'Waar is de burgemeester?'

'De burgemeester is in crisisberaad,' zegt de bode. 'Daar kan hij niet gestoord worden.'

Het gejoel van de menigte buiten dringt tot in het gebouw door. De twee agenten van de trap naderen. Bliksemsnel weegt Mark zijn kansen. In een flits ziet hij dat de sleutel van de vergaderkamer aan de binnenkant van de deur in het slot steekt. Dat brengt hem op een idee. Hij slaat de deur voor de neus van de bode en de toestormende agenten dicht en draait de sleutel om. 'Ik houd deze kamer bezet totdat de burgemeester met mij wil praten.' roept hij door de deur. Snel loopt hij naar het raam en doet dat open zodat hij met de mensen op de markt in contact kan blijven. Dat wordt direct opgemerkt. Er gaat een luid gejuich op. Geke van der Wal komt onder het raam staan.

'Wat ben je aan het doen?' klinkt haar bezorgde stem.

'Ik heb mezelf opgesloten in deze kamer en wil de burgemeester persoonlijk spreken. Eerder ga ik hier niet uit.'

'Maar ga je niet veel te ver? Het dreigt zo wel erg uit de hand te lopen!'

'Nee hoor. Ik wil alleen maar dat hij onze eisen aanhoort. Dat was toch ook ons plan.'

'Ja, maar jij forceert de zaak nu wel heel erg.'

' Ik weet wat ik doe. Laten ze mij hier eerst maar eens uit zien te krijgen.'

Achter hem wordt hard op de deur gebonsd. 'Dirk Bouter hier. Omroep Zeeland. Wil je ons te woord staan voor onze uitzending?'

'Natuurlijk,' antwoordt Mark, een beetje verbaasd over zijn eigen kalmte. 'Maar de deur blijft dicht.'

'Wat wil je met deze opsluiting bereiken?'

'Met de burgemeester spreken.'

'En als die weigert?'

'Heel simpel. Dan blijf ik hier.'

'Dan pleeg je een strafbaar feit. Huisvredebreuk of zoiets.'

'Zij plegen ook strafbare feiten.'

'Wie?'

'Die agenten. Ze gooiden me zonder aanleiding tegen de grond. De trap voor het stadhuis is toch van iedereen? Ik wilde mijn petitie afgeven. Ik wil mij gewoon aan de afspraak houden en onze eisen aan de burgemeester overhandigen.' Er klinkt gestommel achter de deur. Alsof er een worsteling plaatsvindt. Er klinken harde stemmen. Er valt iets met glasgerinkel op de grond. 'U heeft hier niets te zoeken.' klinkt de stem van hoofdagent Kooiman.

'Maar zeker wel!' klinkt het nijdige antwoord van de omroepreporter. 'Wij zijn van de pers.'

'Niets mee te maken. U moet hier weg. En vlug.'

'Wij zijn van de omroep. Wij doen gewoon ons werk.' Achter de deur valt weer iets op de grond. 'U mag ons niet zo hardhandig aanpakken. En zeker onze spullen niet kapot maken!' zegt Dirk Bouter met stemverheffing. En dan tegen Mark door de deur: 'Wij worden weggestuurd.'

'Kom naar de buitenkant. Bij het raam,' roept Mark terug, die heel goed snapt dat hij die mensen van de omroep hard nodig heeft. Het wordt stil op de gang. Er wordt wat aan de deurklink gerommeld en de sleutel in het slot beweegt. Iemand probeert aan de andere kant om de deur op te maken met een tweede sleutel. Maar dat lukt niet, zolang de sleutel aan de binnenkant in het slot blijft zitten.

'Hier spreekt de politie. Ik moet je dringend vragen de deur te openen.' Het is weer de stem van Kooiman. 'Je bent ernstig in overtreding. Dit kan heel vervelende gevolgen voor je hebben. Nogmaals, komt nu rustig naar buiten.' Het valt Mark op dat Kooiman hem nu ineens niet meer met u aanspreekt. Zeker omdat hij hem nu als een relschopper beschouwt.

'Krijg ik de burgemeester dan te spreken?' vraagt Mark.

Er komt geen antwoord. Mark heeft er geen idee van wat er aan de andere kant van de deur gebeurt. Buiten klinkt het geluid van de menigte, die zo langzamerhand via allerlei geruchten een beetje begint te begrijpen wat er aan de hand is daarbinnen.

Andres heeft intussen iets slims bedacht. Hij wil gebruik maken van de sympathie van de mensen voor de actie. En Mark zo ondersteunen. Samen met de olievogels heft hij een spreekkoor aan dat de mensen op het plein snel naroepen. 'Mark! Mark! Mark!'

In het stadhuis klinken voetstappen en stemmen op de gang. Er boven uit snerpt de hoge stem van Jan Joustra. 'Laat mij nu toch even met die jongen praten. Dit wordt allemaal onnodig opgeblazen.' En dan weer politieman Kooiman: 'U heeft zich persoonlijk garant gesteld voor een goed verloop van de demonstratie, maar u bent in gebreke gebleven.' Dan weer Jan Joustra's antwoord: 'Maar úw mensen zijn volledig verantwoordelijkheid voor de harde manier waarop u Mark heeft aangepakt. Die jongen had geen kwaad in de zin en is nu door het dolle heen.'

Mark staat dicht bij de deur en roept: 'Helemaal niet Jan. Daar vergis je je in. Ik ben niet dol, alleen maar písnijdig, dàt wel. Het enige wat ik nu wil is de burgemeester spreken.'

'Kom eruit Mark,' roept Jan Joustra terug. 'Dit moet nu ophouden.'

Maar Mark houdt voet bij stuk. 'Alleen als de burgemeester komt.' Het blijft een tijd stil. Dan klinkt er een andere stem in de gang, een kraakstem die Mark niet eerder gehoord heeft: 'Als hij uit de kamer komt, ben ik bereid met hem te spreken.'

'En wat gebeurt er daarna?' hoort Mark Jan Joustra vragen. 'We zullen hem moeten arresteren,' klinkt de stem van Kooiman. 'Hij heeft een flinke overtreding begaan. En u eigenlijk ook.'

Mark kan de gesprekken in de gang goed volgen. Het is duidelijk dat de burgemeester daar nu ook staat. 'Wat is dan de precieze aanklacht tegen ons?' wil Jan Joustra weten. 'Verstoring van de openbare orde en huisvredebreuk, dat op zijn minst.'

Mark voelt dat het moment is gekomen om een volgende stap te zetten. Hij probeert alles goed te doordenken. Ondanks de rare situatie waarin hij zich heeft gemanoeuvreerd, moet hij zijn hoofd helder houden en zijn volgende stappen zorgvuldig zetten. Hij stapt naar het geopende raam, waaronder nu ook Dirk Bouter met zijn cameraman staat te wachten. Hij legt in een paar woorden de situatie uit. De camera draait en er knippen fotolenzen. Er komt nu steeds meer persaandacht. Ook van de grote landelijke media zijn journalisten gekomen om de demonstratie te verslaan. Dit is mooi nieuws, een woedende actieleider die het Middelburgse stadhuis bezet houdt. Mark loopt terug naar de deur. 'Ik begrijp dat de burgemeester er nu is? vraagt hij. 'Correct. Ik ben de burgemeester,' klinkt het antwoord. Mark neemt de deursleutel in zijn hand. Voordat hij hem helemaal doordraait roept hij: 'U wilt echt met mij praten?'

'Als jij de deur open doet, eerder niet,' zegt de burgemeester. Mark opent de deur. Voor hem staat burgemeester Zieneman. Een magere man, met een kaal hoofd en een scherpe neus. Hij kijkt Mark onderzoekend aan. Mark ziet er gehavend uit. Het plastic van het oliemonsterpak is gescheurd en de sjerpen van het pak hangen er verfrommeld naast. In zijn broek is zijn bebloede knie zichtbaar. 'Mooie toestand is dit,' mompelt de burgemeester terwijl hij Mark van onder tot boven bekijkt. 'Hier moet we snel uitkomen. Zeg maar wat je met me wil bespreken.'

'Ik wil weten waarom u onze petitie niet wilt aannemen. Dat was toch afgesproken?'

'Niet helemaal. Ik heb jullie via onze politieman Kooiman laten weten dat ik dat nog moest bezien. Dat hing af van de tekst, die vooraf aan mij zou worden voorgelegd. Ik ga echt geen petitie in ontvangst nemen met onbewezen beschuldigingen tegen een bepaald bedrijf. Dan moet ik daarna weer allerlei suggestieve vragen van de pers daarover beantwoorden en mij ook tegenover dat bedrijf verantwoorden. Daar heb ik geen zin in en geen tijd voor. Ik heb nu echt wel iets anders aan mijn hoofd. Er is een kapitale ramp aan de gang.'

'Maar precies daarom zijn wij hier!'

'Zeker, en ik moet jullie dan ook feliciteren met jullie actie. Er is een massa mensen op het plein.'

'Maar waarom komt u dan niet naar buiten?'

'Nogmaals, ik heb geen zin om een bedrijf als Petrotec tegenover al die mensen in het openbaar in staat van beschuldiging te laten stellen. En dat zonder dat het bewijs nog maar geleverd is dat zij iets aan de ramp kunnen doen.'

'Het lijkt wel alsof u Petrotec wilt beschermen.'

'Nee, maar ook niet aanklagen. Ik zeg je nog een keer, daarvoor heb ik onvoldoende grond.' Er klinkt nu ongeduld in de stem van de burgemeester.

'Het lijkt wel alsof u er bepaalde belangen bij u spelen om Petrotec zo te beschermen,' komt Jan Joustra er ineens tussen. Het toch al magere gelaat van de burgemeester met zijn diepe lijnen verstrakt nu nog verder. 'Dit soort insinuaties hoef ik niet aan te horen. Dan is ons gesprek meteen beëindigd'. En tegen Mark: 'Ik zal via een persbericht nog op jullie petitie reageren. Dat lees je dan nog wel.' Zijn toon is nu afgemeten. Hij is duidelijk in zijn wiek geschoten door de opmerking van Jan Joustra, maar in zijn houding speelt ook mee dat hij niet goed raad weet met de situatie. Het is per slot van rekening een actie van goedwillende scholieren, die door een grote menigte op het plein wordt ondersteund. Dat zijn ook zíjn inwoners, die van hem passend optreden verwachten. Maar wat is passend in deze moeilijke toestand? Bovendien, de ontredderde aanblik van Mark doet eerder denken aan een tragikomische film dan aan een terroristische aanslag op het stadhuis van Middelburg. Ook daarom weet hij niet goed wat hem te doen staat. 'Jullie doel is nu wel bereikt,' besluit de burgemeester het gesprek. 'Er is algemene bekendheid met de actie en er komt een reactie van mij op schrift. Verlaat nu het gemeentehuis alsjeblieft. Ik heb echt nog meer te doen.' Buiten op het plein wordt nog steeds zijn naam geroepen, maar Mark begrijpt dat het tijd wordt om bij te draaien. Hij wil naar het raam lopen om het einde van de betoging aan te kondigen, maar hoofdagent Kooiman legt een hand op zijn schouder. 'Ik moet je helaas vragen met mij mee te gaan naar het bureau,' zegt hij. 'Ik moet proces-verbaal opmaken. Ga je gewoon mee?'

'Hoezo gewoon mee? Waarheen?' vraagt Mark verbouwereerd door het verloop van de dingen. Hij weet niet wat hem overkomt.

'Je gaat er niet vandoor, zoals net op de trap?'

'Natuurlijk wel,' reageert Mark bitter. 'Zodra we buiten zijn duikt deze schurk onder in de menigte.' Op het gezicht van burgemeester Zieneman verschijnt een dun lachje. Maar politieman Kooiman ziet de humor er niet van in. Hij geeft een teken aan de agenten die in de gang staan te wachten. Voordat Mark het beseft zit hij met een handboei aan een agent vast.

'Is dit echt nodig, mijnheer Kooiman?' hoort hij de burgemeester vragen. Maar Kooiman legt uit dat hij geen risico wil nemen met die menigte buiten en Mark daarom via de zijdeur wil afvoeren. Daar staat een politieauto klaar.

11

De arrestatie

De 'bewaarkamer', zoals Kooiman dat noemde toen hij Mark het politiebureau binnenbracht, heeft vier kale wanden en er is een klein raam dat niet veel licht doorlaat. Mark zit op een houten bank, in afwachting van het proces-verbaal dat de politie hem zal afnemen. Aan de overzijde in de kamer staat nog een bank. Daarop ligt een haveloos geklede man luid te snurken. Mark herkent de dronkaard, die hem van het paard liet tuimelen en nu zijn roes uitslaapt. Hij hoest af en toe en brengt dan uit het diepst van zijn keel een gierend geluid voort. Er hangt een zurige lucht van alcohol en tabak. Mark baalt verschrikkelijk. Maar hij moet aan zichzelf toegeven dat hij het ook wel interessant vindt. Wat gaat er nu gebeuren? Een proces-verbaal? En dan? Moet hij hier lang blijven? Zijn gedachten gaan naar buiten, naar de demonstratie op het plein. Wat zouden ze nu doen? Teruggaan met de dodenkar? En Donya, wat doet zij op dit moment? En Jan Joustra en Geke van der Wal? Zullen ze zijn ouders al ingelicht hebben dat hij op het politiebureau zit? Tenslotte is hij nog minderjarig. Zijn gedachten blijven bij Donya hangen. Toen hij zich van het paard liet glijden om het stadhuis binnen te dringen riep ze iets naar hem. Hij hoorde het maar half in zijn plotselinge actie. Zou ze hem hebben willen waarschuwen? Zij zal dit soort zaken al vaker hebben meegemaakt met haar landgenoten, wanneer die door de politie werden verhoord als zij ergens actie voor de vrijheid voerden. Zijn blik blijft rusten op de snurkende en puffende dronkaard tegenover hem. Als een oude stoommachine. Zijn haar is lang en vettig en zijn gezicht is blauwig gezwollen. Zijn kleren zijn versleten en vuil. In zijn hoge schoenen zitten gaten en de veters zijn eruit. Mark moest ook zijn veters uit zijn schoenen halen voordat hij de cel in ging. Vaste regel, zei de agente die zijn gegevens op een formulier invulde. 'Vast een zwerver,' denkt Mark. 'Waar blijft zo'n man eigenlijk in de winter?' Dan kijkt hij naar zijn eigen kleding. Dat ziet er niet veel beter uit. Hij kon ook een zwerver zijn. Overal gaten en scheuren, onder het plastic van zijn broek blote benen met bloedvlekken. Net als bij zijn elleboog. De schurende pijn die hij tijdens zijn actie in het stadhuis vergeten was, is weer terug. Hij laat zijn eenmansbestorming van het stadhuis nog eens door zijn gedachten gaan. Onwillekeurig schiet hij in de lach als hij het weer voor zijn geest haalt. Een verfrommeld spook dat het stadhuis instuift en een kamer bezet. Als in een film trekt de scene aan hem voorbij. Maar hij denkt ook aan het doel van de actie. Dat is bepaald geen leuke film, die stervende vogels op het strand. Dan is het ineens niet zo leuk meer en schiet de woede weer door hem heen. Waarom mogen ze de naam van Petrotec eigenlijk niet noemen? Het is toch voor iedereen duidelijk dat die oliemaatschappij eigenaar is van die smurrie die nu op het strand ligt? Waarom mag dat niet in alle openheid aan de kaak worden gesteld? De burgemeester klapte compleet dicht toen Jan Joustra suggereerde dat er misschien nog andere belangen een rol spelen. Niet zo slim; de reactie van de burgemeester was niet mis: als door een schorpioen gestoken.

De gedachten van Mark worden onderbroken door het geknars van de deurgrendel. De deur van de cel gaat open. De dienstdoende agente laat iemand binnen. Het is Jan Joustra. Mark kijkt hem verheugd aan. Blij dat er iets gebeurt.

'Ik heb gevraagd of ik even bij je mocht,' zegt Jan Joustra. 'Ze keken wel een beetje moeilijk, maar je bent natuurlijk geen gevaarlijke misdadiger en bovendien ben ik je klassenbegeleider.'

'Wat doe ik hier?' vraagt Mark. 'Hoe lang houden ze me hier vast?'

'Ze zeggen dat het routine is. Dat ze wat tijd nodig hebben om wat zaken uit te zoeken voordat ze proces-verbaal opmaken,' antwoordt Jan Joustra. 'Maar ik denk dat ze je ook even willen laten voelen dat je problemen hebt veroorzaakt.'

'Hoe is het buiten?'

'Het is nog steeds vol op het plein. Het is zaterdag. Er is veel volk in de stad. Er wordt gediscussieerd. Iedereen vraagt zich af hoe het nu verder gaat. En hoe het met jou gaat.'

'Je ziet het,' grijnst Mark. 'Het is hier gezellig, maar niet heus.'

Ze zitten even stil naast elkaar. Mark ziet ineens weer waarom Jan de kabouter wordt genoemd, nu hij zo voorover zit met zijn bolle buik en zijn puntbaardje bijna op zijn knieën.

'Ze hebben mij net de hemd van het lijf gevraagd,' zegt Jan Joustra. ' Dat zullen ze met jou ook wel doen.'

'En dan?'

'Gewoon. Proces-verbaal. Dan naar huis. Later een uitbrander van de politierechter. Dat is het minste. Taakstraf van een paar uur misschien. Moet je schoffelen in het park of stenen schoon krabben. Zoiets.'

'Strand schoonmaken lijkt mij overigens nuttiger,' probeert Mark te grappen. Hij kijkt stil voor zich uit. Dan stelt hij Jan Joustra de vraag die hem al die tijd bezighoudt. Waarom die geheimzinnigheid rond Petrotec? 'Ik heb er ook over nagedacht waarom ze zo bang zijn voor Petrotec,' zegt Jan Joustra. 'Ze zeggen dat het is omdat niet vast staat dat Petrotec schuld draagt, juridisch dan. Maar er is misschien meer aan de hand dan wij weten...' Hij kijkt peinzend naar het patroon van de tegels op de vloer. Hij maakt zijn zin niet af, staat op en begint heen en weer te ijsberen. Hij kan net vier stappen doen in de kleine kamer.

'Waar denk je dan aan?' vraagt Mark. Jan gaat naast Mark op de bank zitten. 'Ik wil niet al te wantrouwend zijn. Voor je het weet haal je van alles in je hoofd,' zegt hij, 'maar ik moest toch aan de woorden van Kooiman denken toen wij met hem spraken, op school.'

'Ja, in dat kantoortje,' zegt Mark. 'Dat was niet zo'n gezellig sfeertje.'

'Herinner jij je nog wat Kooiman toen zei over Petrotec?'

'Bedoel je dat Petrotec de autoriteiten had gewaarschuwd voor onze actie?'

'Precies,' zegt Jan Joustra. 'Wij hebben er ons toen over verbaasd dat Petrotec al zo vroeg op de hoogte was van jullie actie.'

Mark ziet het gesprek nog goed voor zich. Ze hebben daarna zitten puzzelen hoe Petrotec aan die wetenschap kon komen.

'Ik heb het natuurlijk in de klas ingebracht,' zegt Mark. 'Maar niemand heeft gereageerd.'

'Dat is ook niet zo gemakkelijk. Dan moet iemand met de billen bloot,' zegt Jan Joustra. 'Als het al iemand uit de klas is. Luister, toen wij op de Markt stonden, heb ik nog eens aan Kooiman gevraagd wie er eigenlijk met wie had gebeld. Hij zei dat de directeur van Petrotec zelf met de burgemeester heeft gebeld.'

'Nou en?'

'Kooiman liet zich ontvallen dat die twee elkaar goed kennen van allerlei clubs in de gemeente.'

'Maar wat zegt dat?'

'Op zichzelf natuurlijk niet zoveel, maar het maakt het wel makkelijk als je elkaar nodig hebt.' zegt Jan Joustra. 'Ik kan je niet volgen.'

'Misschien een rare gedachte,' het baardje van Jan Joustra wipt op, 'maar hij blijft door mijn hoofd spoken.'

'Nou?' dringt Mark aan. Jan Joustra staat op en loopt weer op en neer in de cel. 'Stel nu eens dat Petrotec aan de burgemeester heeft aangeboden een bijdrage te leveren aan het opruimen van de rotzooi op het strand. Je hebt zelf de hele santenkraam op het strand gezien, schepen, spullen, mensen, dat kost een vermogen. En daar komt nog het opruimen en oplappen van al die vogels bij, en misschien ook nog zeehonden.'

'Mooi toch, als zij meewerken. Zij zijn toch ook de veroorzaker?'

'Ja, maar stel ook eens dat Petrotec in ruil daarvoor wil dat haar naam zoveel mogelijk uit de wind wordt gehouden en dat zij zeker niet wordt aangeklaagd door de gemeente?'

'Maar waarom zou Petrotec dat doen als ze vinden dat ze geen schuld hebben? Dan zouden ze toch zo impliciet hun schuld toegeven?'

'Kijk Mark, Petrotec wil niet publiek als schuldige worden aangewezen. Zij kunnen dan aansprakelijk worden gesteld voor alle kosten. En het is ook heel vervelend voor zo'n groot bedrijf als in de hele internationale pers wordt uitgemeten dat zij die ramp op hun geweten hebben. Ik denk dat zij er veel voor over hebben om een juridisch proces te voorkomen.'

'Dat zei mijn vader ook al,' zegt Mark. 'Maar door Petrotec voor de rechter te brengen wordt toch ook bereikt dat zij de kosten moeten betalen?'

'Dat staat niet vast. Het juridisch bewijs is heel moeilijk en het kan jaren gaan duren zonder uitzicht op resultaat. Dat is vervelend voor de autoriteiten, die nu voor het schoonmaken opdraaien. Vergeet ook de rol van de media niet. Een openbare klacht is niet goed voor de naam van Petrotec. Ze willen liever in onderling overleg een bedrag op tafel leggen dan in een langdurig proces worden betrokken en in de media als een viezerik worden afgeschilderd. Zo kunnen ze hun vergoeding voor het opruimen van de troep ook nog mooi verkopen als goedbedoelde bijdrage van hun bedrijf aan de bestrijding van een milieuramp. Dan komen ze als milieubewuste onderneming keurig in de pers en niet als olievervuiler. Maar in ruil hiervoor stelt Petrotec wel een voorwaarde.'

'Ik snap het: geen aanklacht tegen Petrotec.'

'Precies,' zegt Jan Joustra.

Mark fluit tussen zijn tanden. 'Dus, dát bedoelde je toen je het over 'andere belangen' had tegen de burgemeester en hij dicht sloeg.'

'Ja, en als ik gelijk heb, dan komt het inderdaad niet goed uit dat hij als burgemeester in volle openbaarheid op het marktplein een petitie van jullie aanneemt, waarin Petrotec als vervuiler te kijk wordt gezet ten overstaan van de halve bevolking. De pers zal zich er op storten. Met alle negatieve publiciteit over Petrotec. Ze zullen er heel wat voor over hebben om dat te voorkomen.'

'Maar dan begrijp ik toch nog iets niet. De burge-meester zou die actie van ons toch ook kunnen zien als versterking van de positie van de overheid? Dan kun-nen ze tegen Petrotec zeggen: zie je wel er moet snel geld over de brug komen anders loopt het uit de hand. Dan gaan we jullie aanklagen.'

'Zo werkt het niet,' zegt Jan Joustra. 'Je moet je eens voorstellen hoe zoiets gaat. Er is contact tussen twee mannen die elkaar goed kennen. Maar de burgemeester kan dat niet even in zijn eentje regelen. Over zo'n aan-bod moet hij spreken met zijn wethouders in het college van Burgemeester en Wethouders en met de andere be-trokken overheden, de gemeente Veere, Rijkswaterstaat, het Waterschap, weet ik veel wie nog meer. Maar ieder-een verkeert in paniek over de ramp en er is niet veel tijd voor overleg. Daar heeft onze burgemeester dus veel meer tijd voor nodig. En dan ineens komt die demonstratie van een paar rotjongens en meisjes die dwars door alles heen denderen. En zij stellen eisen, die op dat moment niet goed uitkomen. Misschien hebben jullie de paniek flink vergroot. Besef wel, heel het Marktplein stond vol mensen, die natuurlijk allemaal behoorlijk kwaad zijn over de ramp. En duidelijk achter jullie staan. Dat heeft Middelburg nog nooit eerder gezien.'

'Maar dit is toch een soort handjeklap? Ik zou ge-woon een rechtszaak beginnen. Dat is toch veel zuiver-der. Of zie ik dat niet goed?'

'Zuiverder wel, maar praktischer niet. Petrotec zal wel goede juristen hebben. Voor de overheden is dat een onzekere weg. Een directe afspraak met zo'n bedrijf levert concreet geld op en ze hoeven niet jaren te procederen, met twijfelachtige afloop. De juridische schuld van Petrotec moet aangetoond worden en dat is geen gemakkelijke zaak. Misschien wel onmogelijk. Die olietanker is door een verkeerde scheepsmanoeuvre in slecht weer kapot gegaan. Petrotec zal zeggen dat ze daaraan geen schuld kunnen hebben.'

'En de kapitein dan, of de eigenaar van het schip?'

'Dat is waarschijnlijk een duister bedrijf dat onder een of andere uitheemse vlag vaart. Daar is nog geen eurocent te halen. En dan zijn er allerlei technische vragen. Van wie is de olie precies? Van de leverancier, van de vervoerder, van de eindbestemming? Dat soort dingen. Is het een fout van de kapitein of overmacht, ga zo maar door. Daar kan eindeloos over geprocedeerd worden. De overheden spelen dan liever op zeker. Als er onvoldoende bewijs is voor de schuld van Petrotec en er geen veroordeling volgt, dan staan ze na een paar jaar lelijk met lege handen.'

'Dus jij denkt dat de burgemeester daarom onze petitie niet in het publiek wil aannemen?' vraagt Mark. 'Dat is in elk geval niet uit te sluiten en het verklaart zijn houding,' zegt Jan.

Mark legt zijn handen in zijn nek en strekt zijn benen. Hij laat de suggestie van Jan op zich inwerken. Dat zou in elk geval verklaren waarom bij Kooiman en de burgemeester zoveel weerstand bestaat tegen het noemen van de naam Petrotec. 'Je zegt dus eigenlijk dat wij de onderhandelingen tussen de gemeente en Petrotec onhandig doorkruisen?'

'Je moet de zaak nu ook weer niet op zijn kop zetten. Jullie actie is principieel. Als Petrotec schuldig is aan die smeerzooi op het strand, dan moet dat bedrijf veroordeeld worden. Dan moeten de overheden zich ook niet met een geldbedrag laten afkopen. Jullie hoeven niet te kiezen tussen principieel optreden en praktisch handelen.'

'Het lijkt meer op omkopen,' schampert Mark.

'Dat is natuurlijk ook zo,' zegt Jan. 'Maar dat heet dan schadevergoeding of liever nog 'opruimingsbijdrage' of zoiets.'

Het begint tot Mark door te dringen dat hier een machtsspel gespeeld wordt, waarin hij met zijn actie onverwacht een ongewenste medespeler is geworden. Hij staart naar de kale witte wand tegenover hem, waar Ome Daan zich nog eens kreunend op de bank omdraait.

Van buiten klinkt een gedruis tot in de cel door. Het komt snel dichterbij. Het is het doffe geluid van de oliedrums van Wilco Hiemstra met daartussen de slepende klanken van Tooskes sax. Het sonore gedreun begeleidt het gescandeerde gezang van de groep die in optocht naar het politiebureau loopt. 'Mark Verburg moet vrij' galmt het op de gracht voor het politiebureau. Op de treurwagen staan Annette en Jeanine, nog steeds in hun vermommingen als zweerhond en puistvis. Naast de kar staan de olievogels. De groep is niet alleen. Er zijn tientallen mensen vanaf het marktplein met de wagen meegelopen. Ook het PETROTEC-OLIEVLEK spandoek wordt weer meegevoerd. In plaats van het vraagteken staat het uitroepteken. Vlak naast de kar staat het gele reportagewagentje van Omroep Zeeland. Dirk Bouter gaat met zijn microfoon in de aanslag het politiebureau binnen. Bij de balie wisselt hij een paar woorden met de agente van dienst. Dan loopt hij weer naar buiten en zegt tegen zijn cameraman dat hij het bureau moet

filmen. Snel zet Andres er in een de haast gemaakt spandoek tegen aan: MARK MOET VRIJ.

'Prima zo,' roept Andres. 'Vanavond ziet iedereen dat
op de televisie.'

Jan Joustra klopt op de deur van de cel ten teken dat
hij eruit wil. Hij beseft dat het gebeuren op de gracht
zijn positie niet gemakkelijker maakt. Hij had gedacht
een snel bezoek aan Mark te kunnen brengen en hem
in alle stilte mee naar huis te kunnen nemen. Zo had
hij het ook met Marks ouders en met hoofdagent Kooiman afgesproken. Nu er buiten het politiebureau weer
stevig wordt gedemonstreerd is die kans verkeken. Het
zal ook het landelijk nieuws halen en dat compliceert
alles behoorlijk. De school zal afgeschilderd worden als
broeinest van actie en dat zal de leiding niet leuk vinden. Dat zal weer een hoop uitleg gaan kosten.

De celdeur zwaait open. De agente van dienst vraagt
ook Mark mee te komen. In het kantoortje worden ze
opgewacht door Geke van der Wal. De agente schikt
wat papieren en geeft de spulletjes terug, die Jan Joustra
heeft moeten achterlaten toen hij Mark in de cel op-
zocht: een sleutelbos, een portefeuille, wat los geld en
een kammetje. Mark kijkt er verbaasd naar. 'Routine,'
zegt de agente. 'Er mogen geen spullen mee in de bewaarkamer.' Mark voelt werktuiglijk langs zijn lichaam.
Het monsterpak, of wat er van over is, heeft geen zakken. Jan Joustra raapt zijn spullen bij elkaar. 'Dat heeft
gelukkig niet zo lang geduurd,' zegt de agente met een
vriendelijke uitdrukking op haar gezicht. 'Dat is maar
goed ook,' moppert Mark. 'Zo leuk is het niet in dat
hok.' Mark krijgt de veters van zijn schoenen weer terug. 'Jij moet je misschien nog wel gereed houden voor
een verhoor,' zegt de politievrouw. 'Daar zal je door

hoofdagent Kooiman nog wel over worden benaderd.'
Buiten staat Geke van der Wal. 'Er zal geen aanklacht
tegen je worden ingediend,' zegt ze. 'Ik heb de burgemeester nog even kunnen spreken.'

'Hoezo geen 'aanklacht'?' vraagt Mark. 'Wat zou ik
dan misdaan hebben?'

'Nou Mark,' bromt Jan Joustra, 'je moet nu niet
het onschuldige kind gaan uithangen. Wat denk je
van huisvredebreuk, zonder toestemming toegang ver-
schaffen tot een kamer op het stadhuis en die bezet
houden?'

'Volgens Kooiman heeft Mark zich daarnaast ook
nog schuldig gemaakt aan openbare ordeverstoring
omdat hij zich niet aan de afspraken van de demonstratie heeft gehouden,' voegt Geke toe. 'Maar dat zal
verder niet tegen je worden ingebracht.'

'Nou, daar ben ik dan reuze blij mee,' reageert Mark
cynisch.

Als ze buiten komen wordt er gejoeld en geklapt.
Peter springt van de wagen en loopt op Mark af. 'Hallo, roverhoofdman,' lacht hij. 'Welke bank gaan we nu
beroven?' Mark grijnst. Het is een rare situatie. Daar
staan ze dan met hun treurwagen met een groep vreemd
uitgedoste demonstranten en enkele tientallen kijkers
op de gracht voor het politiebureau van Middelburg.
De twee agenten te paard, die de demonstratie hebben begeleid zijn weg. Maar op de hoek van de gracht
staat nog wel de politieauto te wachten. Er staan een
paar persfotografen bij de wagen. De reportageploeg
van omroep Zeeland is er ook nog steeds. Dirk Bouter
komt naar Mark toe. 'Ik wil graag een interview met je.
Iedereen wil natuurlijk graag weten wat jullie nu gaan
doen, nu je weer vrij bent.'

'Weer vrij?' reageert Mark geprikkeld. 'Zat ik gevangen dan?' Zijn toon is nog steeds cynisch. Hij is nog niet bekomen van zijn cel-avontuur.

'Nou ja, een politiecel is toch geen hotel?' kaatst de reporter terug. Hij houdt een kleine recorder bij zijn mond. 'Ik sta hier voor het politiebureau in Middelburg. Bij mij staat Mark Verburg, de actieleider tegen Petrotec. Hij is net vrijgelaten en ik wil van hem weten wat nu de volgende stap zal worden.' Hij richt zijn microfoon op Mark. Maar Jan Joustra, die de cynische reacties van Mark heeft gehoord, gaat ertussen staan en zegt: 'U moet Mark nu even met rust laten. Hij heeft vandaag genoeg voor zijn kiezen gehad.'

Dirk Bouter duwt de recorder direct onder Jan zijn neus. ' Meneer Joustra, u bent de begeleider van deze klas. Gaat deze actie nog verder of heeft u nu genoeg aandacht gekregen?'

'U moet goed begrijpen,' zegt Jan Joustra, 'het is niet mijn actie, noch die van de school. Deze klas was bezig met een project over de zee. Toen kwam plotseling die vervuiling. Dat heeft de groep enorm aangegrepen.' De reporter draait zich half om en wendt zich weer tot Mark. 'En hoe verder? '

'Wij wilden alleen maar demonstreren. Er is geen verder.'

'Maar het is nu een hele rel geworden.'

'Tja, het loopt zoals het loopt. Een demonstratie is niet zoals een spoorboekje. Het kan wel eens anders gaan dan je vooraf denkt.'

'En nu?' Dirk Bouter duwt de micro weer onder Marks neus. De verslaggever weet dat hij moet aanhouden om scherpe uitspraken te krijgen. Maar Mark heeft geen zin in nieuwe narigheid. Hij probeert zijn woorden zorgvuldig te kiezen. Het valt hem niet gemakkelijk, hij is ontzettend moe. 'Waar het nu écht om gaat is de vraag wie er werkelijk schuld dragen aan deze grote ramp. Dat moet boven water komen.'

'Hoezo werkelijk schuldigen?'

'Dat weten we nog niet. Dat moet uitgezocht worden.'

'Bedoel je Petrotec?' Mark is op zijn hoede. 'Dat zijn uw woorden. Nogmaals, dat moet uitgezocht worden.'

'Dat is de burgemeester blijkbaar niet met jullie eens. Anders had hij jullie wel gelijk gegeven. De afdeling communicatie van de gemeente heeft tegen ons gezegd dat de burgemeester vandaag nog het persbericht zal uitgeven, en dat hij daarin zal laten weten dat hij sympathie heeft voor jullie actie en jullie bezorgdheid deelt. Maar over Petrotec wilde de woordvoerder niets zeggen. Toen wij ernaar vroegen zei hij dat dat geen 'issue' is.'

'Geen issue?' vraagt Mark met half gesloten ogen. Hij voelt zich hondsmoe.

'Ambtelijke taal. Hij bedoelt dat het niet aan de orde is.'

'Fijn dat hij zo over onze actie denkt,' antwoordt Mark diplomatiek.

'Maar Petrotec? Geen issue?' houdt Dirk Bouter aan. Donya trekt Mark aan zijn arm. Zij fluistert hem in dat hij nu beter kan stoppen met het interview en eerst de verdere strategie moet bepalen om geen onnodige problemen te veroorzaken. Mark draait zich weg van de reporter en klimt op de wagen. Jan Joustra weert de journalisten af die allemaal een interview willen met de zojuist vrijgelaten actieleider. Mark is doodop. Hij leunt achterover tegen de stuurhut op de wagen, die langzaam in beweging komt en de gracht afrijdt. Anna Marinisse en het paard zijn in alle hectiek onverstoorbaar gebleven. De paardenhoeven slaan in kalme slag op de stenen van de gracht. De cadans maakt Mark slaperig. Hij laat zijn gedachten de vrije loop.

12

De mol is gevonden

Mark laat zijn vermoeide benen over de rand van de kar bungelen, die nu over de buitenwegen van Middelburg terug hobbelt naar het atelier van Frida Malakovic in Dishoek. Half slapend volgen zijn ogen de witte streep asfalt, die onder de wagen doorglijdt. Hij leunt half tegen de mast, half tegen Donya en voelt zich vreselijk moe. Zo'n vermoeidheid die gemengd is met tevredenheid. Per slot van rekening is bereikt waar hij erg tegen op zag: de demonstratie en zijn rol daarin. Met een wat rare afloop, maar toch, het was een succes.

Iedereen in de groep heeft zo zijn eigen manier van afreageren. Tooske Hamelink blaast een slepend melodietje op haar saxofoon, terwijl Wilco Hiemstra haar volgt met zijn oliedrums. Het zijn klanken die elkaar in de weg zitten: de vloeiende sax en de schrille bonk op het olievat. Annette en Jeanine hebben hun pakken afgelegd en kletsen wat op de voorkant van de kar. Andres maakt aantekeningen in het kleine zakboekje dat hij altijd bij zich draagt. Hij wisselt met Peter ideeën uit over nieuwe teksten. Zij zijn al met een vervolg van de demonstratie bezig. Peter heeft geprobeerd Mark hierin te betrekken, maar die heeft dat met een vermoeid handgebaar afgeweerd. Hij wil rust. Maar zijn rust duurt niet lang. Kirsten komt achter de kar aanrennen. Kirsten is op het marktplein achtergebleven toen de treurkar naar het politiebureau reed. Zij heeft nog altijd haar elegante broekpak aan. 'De gemeente heeft een persbericht uitgegeven', hijgt ze, moeilijk lopend op haar hoge laarsjes. Ze geeft het persbericht aan de uitgestoken hand van Andres. Hij leest het bericht hardop voor. '*De burgemeester van Middelburg heeft vandaag kennisgenomen van een petitie van de actiegroep van de Middelburgse Scholengemeenschap Walchria...*'

'Het begint al fout,' roept Peter, ' het is geen actie van de school, maar van ons als groepje verontruste scholieren.'

'*In demonstratie bijeen voor het gemeentehuis*', leest Andres verder. ' *De burgemeester is verheugd dat zoveel mensen zich zorgen maken over de vervuiling van de zee, die nu zo duidelijk zichtbaar is in de olieramp op het strand van Walcheren. De overheden op Walcheren beschouwen de actie als een ondersteuning van hun beleid om de vervuiling tegen te gaan. Er wordt alles aan gedaan om het strand zo snel mogelijk schoon te krijgen.*'

'Geen woord over de schuldigen,' mompelt Mark.

'Had je anders verwacht?' vraagt Andres?

'Nee, eigenlijk ook niet,' zegt Mark toonloos. Hij herinnert zich het gesprek met Jan Joustra in het politiebureau. Dit bericht past in dat beeld. Een duidelijke stellingname tegen de vervuiler ontbreekt.

Mark schurkt dicht tegen Donya aan. Hij voelt haar warmte prettig tegen zich aan. Het liefst zou hij zijn monsterpak in een hoek gooien, de boel de boel laten en lekker naar huis gaan, daar een warm bad nemen, naar bed gaan en alles vergeten. Morgenochtend op zijn gemak naar school gaan en 's avonds met Donya naar de film. Lui in de stoel, geen kopzorg, geen spanning, geen conflicten. Lekker op de televisie naar een soap kijken. Zien hoe anderen hun problemen oplossen. Donya slaat haar arm om hem heen en schikt zijn hoofd iets gemakkelijker tegen haar borst. Ze begrijpt hoe hij zich voelt. Als een sporter na een zware wedstrijd. 'Ik denk dat klus nog niet af is', zegt ze zacht, met het melodieuze accent dat haar oorsprong aangeeft en dat Mark zo mooi vindt in haar stem. 'Dat zou je misschien wel willen, maar zo werken acties nu eenmaal niet.'

Mark zucht. 'Ik heb er zat van. Ik ben moe. Alles doet pijn.' Hij kijkt naar de wolken die in wisselende vormen langs de blauwe lucht schuiven. Hij voelt de koesterende warmte van Donya's lichaam. Zij drukt hem nog dichter tegen zich aan. Het is rustig op de weg. Het klakkende ritme van de zware paardenhoeven op het wegdek vermengt zich met de zingende saxofoon van Tooske. De olievogels naast de kar hebben hun cape afgelegd en zijn weer gewoon jongens en meisjes geworden.

Donya's gedachten gaan naar acties van familie en vrienden in Iran. Daar ging het om leven en dood, daar is deze demonstratie maar kinderspel bij. Maar ze weet tegelijk dat ze niet teveel mag relativeren, ook deze actie is belangrijk. Vervuiling is ook een misdaad. Niet tegen de vrijheid, zoals in haar geboorteland, maar tegen de natuur. Niet te vergelijken, maar allebei belangrijk.

Een klein uurtje later zijn ze bij het atelier. Het paard wordt uitgespannen, de wagen wordt naar binnen geduwd. De pakken worden aan de wand gehangen, de spandoeken opgevouwen en de zeilen neergehaald. Mark hinkepoot door de schuur. Zijn enkel is gezwollen, zijn wonden schrijnen en zijn vermoeidheid maakt hem moeilijk aanspreekbaar. Maar iedereen staat op hem te wachten. Hoe gaat het nu verder? Die vraag staat op alle gezichten. Gewoon weer verder gaan met het zeeproject op school? Alsof er niets gebeurd is?

'Kappen we nu?' Andres stelt de vraag die iedereen bezig houdt.

'Wat vind jij zelf?' vraagt Mark terug.

'Ik wil wel doorgaan,' zegt Andres. 'De betoging was een succes. Mij smaakt het naar meer.'

'Maar het moet dan wel iets anders worden,' voegt Peter eraan toe. 'We kunnen niet weer naar Middelburg met een demonstratie. Het moet heftiger.'

'Hallo! Nog heftiger?' Mark trekt een vies gezicht. 'Was het niet heftig genoeg in dat stadhuis en op het politiebureau?'

Peter grijnst. 'Mooie actie was het. Echt vet. Maar wat hebben nu nog helemaal bereikt? Een proces verbaal aan je broek en een slap persbericht. Petrotec lacht erom.'

'Je praat wel cynisch hoor,' reageert Annette. 'Volgens mij hebben we best iets bereikt.'

'Niet genoeg,' zegt Andres. 'Petrotec wordt niet aangepakt.'

'Ik heb er niet veel trek meer in,' zucht Mark. 'Misschien moet we tevreden zijn met wat we gedaan hebben. Het ging ons om aandacht voor de vervuiling, Dat is gelukt. Als jullie meer willen moet je maar een ander zoeken die mijn rol wil overnemen. Ik vind het zat. Ik heb nu wel genoeg gedaan.'

Het blijft stil. Dan brandt Peter los. 'Wat krijgen we nou, Mark? Je bent niet de enige actievoerder. Wij hebben met zijn allen ook ons stinkende best gedaan. Je kunt er niet zo maar tussen uit piepen.'

'Nee, maar ik heb wel op dat paard gezeten, een bijna doodsmak gemaakt, een gebouw bezet en in dat rothok op het politiebureau gezeten.'

'Hallo, wat ben je zielig,' schampert Peter. 'We hebben allemaal met je te doen. Maar je kunt niet meer terug. Wat je gedaan hebt kun je niet ongedaan maken. Er komt een horde journalisten op je af, die allemaal een verhaal met je willen maken.'

'En ik vind ook dat we met zijn allen een besluit moeten nemen of we verder gaan. Dat mag jij niet alleen doen,' zegt Andres.

Mark kijkt nijdig voor zich uit. 'Ik zeg alleen dat je dan voor mijn rol een ander moet zoeken. Ik ben moe, mijn enkel zwikt en mijn knie brandt.' Hij vertelt er niet bij dat hij ook nog een ander probleem heeft dat hem al de hele tijd dwars zit. Het lek in de groep. Tussen de jongens en meisjes die hier bij elkaar staan moet er een zijn die de boel verraadt.

Frida Malakovic komt uit het keukentje het atelier binnen om te zeggen dat het televisienieuws aandacht aan de demonstratie besteedt. Omroep Zeeland heeft filmbeelden van de optocht en de interviews met Mark worden uitgezonden. Er zijn korte gesprekjes met mensen op straat. De meeste mensen zeggen het eens te zijn met de actie en vinden de demonstratie met de treurwagen een goede stunt. Niemand begrijpt waarom de burgemeester niet naar buiten is gekomen om de petitie in ontvangst te nemen. 'We hebben natuurlijk de burgemeester om een reactie gevraagd,' legt Dirk Bouter in een commentaar uit. 'Maar hij wilde niet in beeld komen en de voorlichter van de gemeente verwees ons naar het persbericht, dat we zojuist hebben laten zien. Maar daar komen we niet veel verder mee, want daarin wordt de naam van Petrotec niet genoemd. En dat terwijl er duidelijke vermoedens zijn dat dit bedrijf een hoofdrol speelt in dit geheel. Daar ging de actie van de scholieren ook over.'

Mark kauwt op zijn lip. Hij vergeet even zijn vermoeidheid en de zeurende pijn in zijn arm en voet. Het wordt nu interessant. De pers pikt het op. Ook landelijk. Op de Zeeuwse televisie gaat Dirk Bouter nog een stap verder in zijn berichtgeving: 'Wij kunnen deze berichten niet bevestigen, maar er wordt beweerd dat de door de olieramp getroffen gemeenten op Walcheren met Petrotec een deal willen sluiten. Petrotec zou een deel van de kosten op zich willen nemen van het schoonmaken van de stranden en de vogelopvang. De overheid moet dan afzien van een juridische procedure tegen Petrotec. We hebben natuurlijk Petrotec om een reactie gevraagd. De woordvoerder van Petrotec laat ons weten dat het bedrijf zich niet aansprakelijk acht voor de olieramp en geen commentaar geeft op allerlei wilde geruchten. Ook de gemeenten willen geen commentaar geven. Er wordt verwezen naar het persbericht.'

'De zaak heeft een luchtje,' zegt Andres. 'Een raar luchtje.'

'Ja, de lucht van olie,' grapt Peter, 'maar dat is geen nieuws, dat wisten we al.'

'Nou even serieus jongens,' zegt Andres, 'Wat is hier precies aan de hand?' Hij kijkt naar Mark. 'Weet jij meer?'

'Niet veel meer,' antwoordt Mark. 'Jan Joustra kwam met dat verhaal bij mij. Misschien heeft Dirk Bouter het wel van hem. Maar dat zullen we nooit weten, journalisten houden hun bronnen geheim. Ik weet niet of het waar is. Maar het zou natuurlijk kunnen. Volgens Jan Joustra willen ze iets met elkaar regelen, zodat het niet tot een proces komt.'

'Daar komen wij waarschijnlijk niet achter,' meent Andres. 'Maar wij kunnen wel blijven protesteren en een tweede actie voeren om de zaak scherp te houden.'

'We hebben alles klaar staan,' zegt Tooske. 'Het zou toch ook jammer zijn van al dat werk, als we die kar en die kostuums niet nog een keer kunnen gebruiken.'

In de discussie die volgt blijkt een meerderheid van de klas wel te voelen voor een tweede actie, maar nu rechtstreeks tegen de nabijgelegen vestiging van Petrotec in de Scheldehaven. Mark wordt heen en weer geslingerd tussen tegenstrijdige gedachten. Aan de ene kant heeft hij genoeg van het actievoeren en zou hij er graag mee ophouden. Afscheid nemen van zijn rol als actieleider. Maar tegelijk trekt het hem aan. De veroorzaker van de ellende stevig aanpakken. Maar de demonstratie van vandaag was niet gemakkelijk. Hij moest voortdurend lastige besluiten nemen en ondanks de groep om hem heen voelde zich daarbij toch behoorlijk alleen. Actieleider zijn is een eenzame bezigheid. Er doen zich telkens onverwachte gebeurtenissen voor. Dat is ontzettend vermoeiend. Mark kan niet tot een besluit komen. Hij wordt heen en weer geslingerd tussen tegenstrijdige gedachten. Hij spreekt er met Donya over. Maar zij wil niet de doorslag geven. Zij vindt het een verantwoordelijkheid voor hem zelf, waarover hij ook zelf een besluit moet nemen. 'Maar als je het doet,' zegt zij, 'moet je toch eerst dat lek nog opsporen. Anders kun je er niet aan beginnen. Vooral niet omdat zo'n tweede actie natuurlijk nog scherper in de gaten zal worden gehouden.' Mark beseft dat Donya gelijk heeft. Nu zal het immers rechtstreeks tegen de vestiging van Petrotec gaan, en daarbij kan uitgelekte informatie funest zijn. Hij besluit het nog maar een keer in alle openheid in de groep aan de orde te stellen. Hij roept de groep bij elkaar.

'Er kunnen onverwachte gevolgen zijn van een twee-de actie,' begint hij. 'Dat hebben we bij de betoging in Middelburg ook gezien. Een nieuwe actie wordt flink zwaarder. Het lijkt me goed dat iedereen die niet voluit wil meedoen ook nu weg gaat. Dat wordt hem of haar niet kwalijk genomen.' Hij let goed op de gezichten van de leden van de groep. Het valt hem nu pas op dat één meisje in het bijzonder zich steeds erg terughoudend opstelt. Het is Irma Koppejan die toch meestal wel actief, en zelfs fanatiek is als het om milieuproblemen gaat. Zou zij het lek kunnen zijn? Het is een intuïtief gevoel bij Mark. Hij neemt zich voor goed op haar te letten tijdens de voorbereidingen van de tweede actie. Over de actie zelf is iedereen het vlug eens.

'Wij hoeven niet zoveel nieuws te bedenken,' zegt Tooske, die nu een van de meest enthousiaste is. 'We kunnen gewoon hetzelfde format gebruiken.'

'Pardon: 'format? ' vraagt Peter. 'Wat mag dat dan wel wezen?' Tooske snuift. Ze is nu even weer de on-genaakbare dame die ze in de klas zo vaak is. 'Format, dat woord gebruiken wij in onze band altijd voor in-houd en vorm van een presentatie.'

'Oké, zeg dat dan,' reageert Peter. 'Maar los van dat rare woord, je hebt gelijk. Een optocht naar die fabriek, en dan veel lawaai maken met leuzen en een petitie. We kunnen eigenlijk gewoon hetzelfde doen.'

Mark voelt aan de stemming in de klas dat hij als vanzelf toch weer de actieleider wordt. Niemand werpt zich op om dat van over hem te nemen en hij zelf dringt daarop ook niet aan. Misschien moet hij maar aanvaar-den dat zoiets in hem zit, en dat die lamme twijfel in zijn lijf daar ook gewoon bij hoort. Geen voetballer die een strafschop neemt zonder zenuwen. Toch voelt hij behoefte om met Jan Joustra van gedachten te wisselen over deze tweede actie. De verhouding tussen hen is veranderd de laatste dagen. Vertrouwelijker en vriendschappelijker geworden. Zeker na het gesprek in de arrestantenkamer op het politiebureau. Mark loopt met zijn mobiel naar buiten en belt hem.

Jan Joustra is niet erg enthousiast over een tweede actie, om het zacht te zeggen. Hij vindt dat ze daarmee een gevaarlijke grens overgaan die niet bij amateur-actievoerders past. 'Jullie hebben eerder gezegd dat jullie Green Peace niet willen nadoen,' probeert hij. 'Dit gaat er verdacht veel op lijken. Maar pas op, Green Peace weet heel goed wat harde actie kan inhouden en zij zijn daar goed in getraind.'

'Wij gaan geen harde actie voeren,' relativeert Mark, 'wij blijven het ludiek houden. Met delfde kar, pakken en spandoeken. We doen niet zoveel extra's.'

'Dat vind jij misschien. Maar Petrotec, de overheden en de politie kunnen daar heel anders tegen aan kijken.'

'Maar Jan, op de man af: wat doe je als we doorgaan?'

'Dan zal ik het daarmee knap moeilijk mee hebben. Maar het is wel jullie eigen verantwoordelijkheid. Ik wil je nog wel een advies geven.'

'En dat is?'

'Geef duidelijk aan dat iedereen in vrijheid kan beslissen om wel of niet mee te doen. Doe dat niet in de groep, maar vraag het ieder persoonlijk.'

'Dat was ik al van plan. ' zegt Mark. 'En ik moet ook nog een mol vinden voor we beginnen.'

Als Mark even later de leden van de groep persoonlijk langs gaat, blijkt toch nog een flink aantal af te willen haken. Vijf leden van de groep doen namelijk niet mee. Dat is een kwart. Een directe betoging tegen een bedrijf op een afgelegen industrieterrein schrikt hen af. Mark vindt het veel. Maar Donya montert hem wat op. 'Besef wel dat je nogal vraagt van de mensen. Wees blij dat er nog zoveel willen meedoen en dus vertrouwen in je hebben,' zegt ze.

Als Mark zich even later in het keukentje van zijn monsterpak ontdoet en zijn wonden schoonmaakt, staat Irma Koppejan ineens in de deuropening. Het verbaast Mark niet. Toen hij haar daarnet onder vier ogen aansprak over het wel of niet meedoen, kwam zij al wat moeilijk uit haar woorden. Irma stapt naar binnen en gaat tegenover Mark staan. Zij is een stuk kleiner dan Mark en hij voelt zich nu wel erg boven haar uit torenen. Dat maakt de situatie niet gemakkelijker. Even gaat het door Mark heen dat hij zich misschien wat kleiner moet maken. Een beetje door zijn knieën zakken, maar hij bedenkt meteen dat zoiets erg neerbuigend overkomt. En dat wil hij nu juist niet. Irma lost het op door zelf een stap terug te doen. Ze haalt diep adem. Het kost haar moeite te beginnen. Dan gooit ze het er ineens uit. 'Mijn moeder heeft een baan bij Petrotec,' begint ze. 'Zij werkt op het secretariaat van de directie. Ik wil niet tegenover haar komen te staan als de actie rechtstreeks tegen de Petrotec-vestiging gaat.' Mark voelt aan dat hier het lek kan liggen. Irma slikt even. 'Ik moet je nog wat zeggen. Toen jij gisteren over een mol in onze groep sprak moest ik erg schrikken. Weet je, ik heb thuis natuurlijk ook over onze actie gesproken. Dat zal iedereen wel gedaan hebben. En ik weet dat niet meer zo precies, maar ik kan ook iets gezegd hebben over de petitie. Andres heeft mij een concept gegeven voor commentaar. Ik heb dat waarschijnlijk thuis op de keukentafel laten liggen. Het

kan heel goed zijn dat mijn moeder dat heeft meegenomen naar haar werk. Zij kan daar ook wel iets over
gezegd hebben. Zo gaan die dingen er nu eenmaal. Ik
vind het heel vervelend hoor.'

De mol is boven de grond, maar Mark voelt geen
triomf van de ontdekking Eerder medelijden. Irma is
ook geen echte mol, het is inderdaad zoals Donya al
vermoedde, eerder een ongelukje.

'Daarom ga ik nu niet mee met de demonstratie,'
zegt ze.

'Maar dat brengt je nu óók in een moeilijke positie,'
antwoordt Mark. 'Je moeder kan het je kwalijk nemen
dat je niets over onze tweede actie hebt gezegd.'

'Dan zal ik haar uitleggen dat ik solidair met jullie
wilde zijn. Dat moet ze dan maar accepteren.'

'Jammer dat je niet meer meedoet', zegt Mark. 'Ik
had je er graag weer bij gehad.' Hij meent het want
Irma was een actieve demonstrante.

'Dat moet jij nu respecteren, zegt Irma. 'Succes met
de actie. Ik zal thuis verder mijn mond houden.'

13

Een tweede betoging

De Zeeuwse Courant heeft op de voorpagina een foto van Mark in zijn monsterpak op de markt van Middelburg. De kop erboven luidt: 'Scholieren in actie tegen olieramp.' In het artikel wordt uitvoerig ingegaan op de actie. Ook schrijft de krant over de 'bestorming' van het stadhuis door Mark en het ingrijpen van de politie. De krant vindt het vreemd dat de burgemeester de petitie van de scholieren niet heeft aangenomen en drukt die in zijn geheel af. Met daarin de eisen tegen Petrotec.

'Jullie hebben de pers aan jullie kant,' zegt Marks vader tegen Mark, die met een grijns op zijn gezicht zijn ochtendboterhammetje kauwt en over zijn vaders schouder meeleest. Hij grist de uitgescheurde pagina mee en gaat naar het schuurtje om zijn fiets te halen. Hij belt Donya om haar op te halen bij de boot en samen naar het atelier van Frida Malakovic te fietsen. Het is een mooie dag met lichte wolkjes en een zacht briesje. In de weide liggen twee zwarte renpaarden zich in het gras te wentelen. Alsof ze een bad in het groen nemen, de hoeven trappen in de lucht.

'Ik heb met Irma Koppejan gesproken,' begint Mark als op het fietspad onder het duin naar Dishoek rijden. 'Zij is het lek.'

'Maar waarom deed ze dat?'

'Per ongeluk, zoals je al dacht. Haar moeder werkt

op het kantoor bij Petrotec in de haven. Irma heeft dat proefstuk van Andres thuis laten slingeren.'

'En wat doe je nu?'

'Ze gaat niet met onze volgende actie mee en houdt haar mond.'

Mark houdt in om de bocht op het fietspad te nemen. Zijn trapper slaat weer gemeen door. Hij heeft dat ding nog altijd niet vastgezet. Als hij weer naast Donya is, zegt ze: 'Je moet er rekening mee houden dat er zoveel mensen zijn ingeschakeld, dat de kans groot is dat ook anderen hun mond voorbij praten. Misschien niet uit de klas, maar je hebt ook nog Frida Malakovic, Klaas Oldenburg, Jan Joustra, Geke van der Wal, de boer van dat trekpaard, Dirk Bouter van de omroep. Je weet het nooit zeker. Dat is een les die je bij het actievoeren vlug leert.'

'Daar doen we nu niets meer aan,' stelt Mark vast. 'We kunnen de actie niet meer afblazen.'

Buiten het atelier staat de treurwagen gereed. Hij is op een oplegger gereden. Die oplegger is van het transportbedrijf van de vader van Wilco Hiemstra. Er staat ook een busje geparkeerd. Peter staat er trots bij . 'Alles staat klaar voor de reis, mijnheer de actieleider,' grijnst hij als het verbaasde gezicht van Mark ziet. 'Hoe komen jullie aan die oplegger?' wil hij weten. 'Een goedwillende vader,' antwoordt Wilco. 'En een vriend van Tooske heeft het busje van hun band geleend.' Bij de deur van het ateliers staan de chauffeurs met elkaar te praten, wachtend op instructies. Binnen treft Mark Peter, in druk gesprek met Andres. 'Weten die twee wat er gaat gebeuren?' vraagt Mark met een knik in de richting van de buitendeur. 'Ja, wat dacht je,' antwoordt Peter 'Je kunt die mensen toch niet vragen ons te helpen, en niet zeggen waarvoor?' Mark legt uit dat Donya hem gewaarschuwd heeft voor een nieuw lek, omdat er zoveel mensen op de hoogte zijn van hun actie. Hij heeft het nog niet gezegd of Andres stuift op hem af. 'Ik stel voor dat we ons actiedoel veranderen.' zegt hij opgewonden.

'Nu nog?'

'Ja.'

'Waarom?' Mark weet dat Andres niet zomaar met iets komt. Andres knijpt zijn ogen toe. Met zijn wijsvinger maakt hij een draaiend gebaar langs zijn hoofd. Alsof hij de harde schijf van zijn computer daarin heeft. Dan zegt hij: Borsele. De kerncentrale in Borsele.'

Het blijft even hangen. Dan blaast Mark: 'Ben je gek geworden, dan duikt de hele wereld op ons!'

'Dat willen we toch ook, bekendheid voor onze actie?'

'Hoe kom je er bij om dat te zeggen?' vraagt Mark. 'Zeker met Tooske gesproken?'

'Ja, maar Peter vindt het ook beter.'

'Maar waarom in 's hemelsnaam? Is Petrotec niet goed genoeg?'

'In Borssele krijgen we meer publiciteit.'

'Ja maar ook de hele santenkraam van politie en leger op ons nek.' Mark ziet het voor zich. Mobiele brigades, versperringen, arrestaties. De kerncentrales zijn een open zenuw in onze maatschappij, als je daar in gaat prikken krijg je narigheid. Alle veiligheidsdiensten zullen waakzaam zijn.

'Dat maak ik niet mee jongens,' weert Mark af. 'Echt, ik ben tot veel bereid, maar dat gaat me te ver.'

'Borsele,' gaat Andres verder alsof hij het niet gehoord heeft, 'ligt niet ver hiervandaan. Je kunt er snel komen. Niemand rekent erop. Dus we hebben het voordeel van de verrassing. Hoef je ook niet meer bang te zijn voor een lek. We zeggen het niemand en geven pas aanwijzingen over de route als we onderweg zijn.' Mark knijpt zijn lippen bij elkaar en schudt zijn hoofd. Hij voelt zich behoorlijk onprettig bij dit gesprek. Dat voortdurend afwegen van opties, en uitdenken wat de gevolgen zijn, kost ontzettend veel energie. Hoe moet hij hier nu weer uitkomen, en Andres, Tooske en Peter weer op de rails krijgen? Hij staart door de open deur van het atelier naar buiten. De treurkar staat al op de oplegger. De masten zijn er af gehaald om geen problemen met viaducten en tunnels te krijgen. Binnen is iedereen met de vermommingen bezig. Mark ijsbeert door het atelier. Hij legt het probleem aan Donya voor. 'Ik kom er niet goed uit,' mompelt hij met een stuurs gezicht. 'Die gasten draaien door.'

'Maar ze hebben wel een punt als het om de verrassing gaat.'

'Ja, maar een kerncentrale, dat is wel het laatste! Dat maak ik niet mee. Dan stop ik ermee.'

'Dat kun je nu niet meer maken. Je moet een oplossing bedenken. Je hebt nu eenmaal het vertrouwen van de groep gewonnen door je eerste optreden als actieleider. Zo gaat dat. Dat vertrouwen kun je niet als een jas weer aan de kapstok hangen. Dat hangt nu stevig om je heen.'

'Maar waar is mijn eigen vertrouwen?' bromt Mark. 'Ik heb helemaal geen vertrouwen in de actieleider Mark Verburg. Zeker niet als het om een kerncentrale gaat. Ze zijn crazy!'

'Je kunt er niet meer voor weglopen. Alles staat klaar en iedereen is bereid op pad te gaan.' Ze knikt in de richting van de auto's waar de chauffeurs van de oplegger en het busje in afwachting zijn van het vertrek. Andres en Peter staan erbij, op Mark te wachten. Er hangt een geladen sfeer in het atelier. Iedereen wacht op actie. Frida Malakovic staat ongeduldig aan haar sigarenpijpje te lurken, leunend tegen de deur van het atelier. Naast haar staat Klaas Oldenburg, die ook is opgetrommeld om een fotoreportage te maken.

'Wat doen we?' vraagt Peter. Hij ziet de vertwijfeling op Mark zijn gezicht. 'Durf je het niet?'

'Daar gaat het niet om. De risico's zijn te groot.' Hij kijkt Andres en Peter beurtelings strak aan. 'Ik ben de actieleider, ik draag de eerste verantwoordelijkheid. Dat hebben jullie zelf zo geregeld.'

'Beslis dan ook maar!' dringt Peter aan. 'Maar doe iets. We kunnen hier niet eeuwig blijven ouwehoeren. Kijk, er komt ook pers aan.' Voor de deur stopt het gele bestelbusje van omroep Zeeland. Dirk Bouter stapt uit. Hij zou meerijden met de stoet. In ruil voor zijn reportage heeft hij vertrouwelijkheid toegezegd. Zoals eerder met Mark is afgesproken. Zulke afspraken worden vaker met journalisten gemaakt, omdat de pers er belang bij heeft als eerste iets te verslaan, en dan bereid is bij de voorbereiding de mond te houden. De omroep heeft een cameraploeg klaar staan om op een seintje van Dirk Bouter naar het actiegebied te gaan om daar vast wat opnamen te maken. Mark bijt op zijn onderlip. Hij kijkt van Andres naar Peter en weer terug. Hij besluit Dirk Bouter in vertrouwen te nemen. 'We twijfelen nog of we niet beter de kerncentrale in Borsele kunnen nemen.' zegt hij. Dirk Bouter fluit tussen zijn tanden.

'Toe maar. Doe maar niet minder.'

'We denken dan meer verrassing te hebben'

'En ook meer effect,' voegt Andres toe.

'Dat krijg je in Borsele. Geen twijfel over,' antwoordt Bouter direct. 'Ook mooie plaatjes voor ons. Veel bewaking. Veel politie. Maar je moet wel weten waar je aan begint. Kan best uitlopen op een paar zeer vervelende uurtjes of langer in een arrestantenwagen. Of erger.'

'Dat is ook mijn zorg,' zegt Mark. 'Ik denk dat het te groot voor ons is.'

Dirk Bouter knikt. 'Eerlijk gezegd, dat denk ik ook. Luister, voor ons pers is het altijd spannend als er iets uit de hand loopt. Maar als je het mij op de man af vraagt, dan moeten jullie daar niet aan beginnen. Die fabriek van Petrotec is overigens ook geen kleinigheid. Dat is een behoorlijk groot bedrijf dat een belangrijke rol in hun hele organisatie speelt. Reken maar dat een actie bij dat bedrijf ook aandacht zal trekken. Ook van mijn collega's. Zeker nu jullie bekend zijn vanwege de demonstratie in Middelburg.'

Mark kijkt Andres en Peter aan. Hij wil nog een keer met ze overleggen. Maar er is niet veel tijd. 'Jullie moeten nu echt een besluit nemen,' roept Frida Malakovic vanuit de deuropening. 'Kijk even om je heen. Iedereen staat te wachten en er komt zo onrust. Ook de chauffeurs wachten op instructies.'

Mark ziet in dat hij nu moet handelen. 'Het wordt Petrotec, geen kerncentrale,' beslist hij. 'Ik hoop dat jullie dat willen accepteren.'

'You are the boss,' zegt Peter, terwijl hij met zijn hand tegen zijn hoofd tikt, zoals een soldaat een commando van zijn superieur in ontvangst neemt. Mark geeft Dirk Bouter een wenk. Deze steekt zijn hand op dat hij het begrepen heeft en scheurt weg in zijn gele autootje. 'We moeten nu echt opschieten,' waarschuwt Donya. 'Als hij zijn cameraploeg bij die fabriek zet, weet iedereen dat er iets staat te gebeuren en dan is de verrassing weg.'

Mark legt de chauffeurs uit wat de bedoeling is. De oplegger zet zich in beweging, gevolgd door de oplegger met de kar. Het busje rijdt voorop. Het is maar een paar kilometer naar het havengebied en de tocht verloopt snel. Maar niet zo onopgemerkt als ze hadden gehoopt. Bij de toegangsweg naar het havengebied komt er een politieauto achterop.

'Hoe kan dat nou?' vraagt Mark verbaasd.

'Waarschijnlijk houden ze jullie al de hele tijd in de gaten,' zegt Donya. 'Vanaf jullie demonstratie in Middelburg zijn jullie gevolgd.'

De stoet passeert de opslagtanks van Pavok en daarna de raffinaderij van Tatoil. Als de chauffeur van de oplegger vaart mindert, beduidt Mark hem dat hij verder moet rijden. Deze bedrijven hebben wel iets met olie maar helemaal niets met Petrotec te maken. De gloednieuwe fabriek van Petrotec ligt een stuk verder. Het fabrieksterrein is omgeven door een groot hek. De oplegger stopt op de toegangsweg en de wagen wordt afgeladen. De masten worden snel op de kar gemonteerd en als dodenschip zet de wagen zich langzaam in beweging, getrokken en geduwd door de olievogels. Het trekpaard van Anna Marinisse is thuis gebleven.

In het open en uitgestrekte industriegebied zijn niet veel kijkers. Passerende automobilisten toeteren en enkele fietsers kijken nieuwsgierig om naar die vreemde wagen met die rare verklede lieden in hun rare pakken. Zodra ze dicht bij het hek zijn begint Wilco op zijn oliedrums te rammen. De wagen rijdt verder naar de ingangspoort. Een stuk verderop staat een blauw politiebusje. 'Ze hebben nu zeker de mobiele brigade opgeroepen,' sneert Peter. Op de maat van de drums beginnen ze hun leuzen te scanderen. Dezelfde die ze ook in Middelburg hebben gebruikt. Bij de poort in het hek staat de cameraman van omroep Zeeland te filmen. Dirk Bouter staat tegen zijn auto geleund te bellen. Ook Klaas Oldenburg is aanwezig. Hij maakt een reportage van deze actie. Er is ook een verslaggever van de Zeeuwse Courant gekomen. Zij wil een interview ter plekke met Mark. Er wordt ook een foto gemaakt. Die zal de volgende dag op de voorpagina van de krant verschijnen.

Bij het hek staan twee politiemannen die de toegang tot het terrein afschermen. Een van de twee komt naar de treurwagen toegelopen. 'Wat gaan we doen?' vraagt hij en kijkt naar de groep. 'Wie is hier de leider?' Mark stapt naar voren in zijn weer wat aan elkaar geplakte monsterpak. De agent neemt hem van top tot teen op en kan een glimlach niet onderdrukken. Mark ziet het en schiet van de weeromstuit ook in de lach. Hij beseft dat hij er lachwekkend uitziet, in dat rare monsterpak op een grootschalig en kaal industrieterrein. Alsof ze op een andere planeet zijn. Heel wat anders dan de gezellige en warme binnenstad van Middelburg. Uit het portiershokje vlak bij de poort komt een man in een bedrijfsuniform naar buiten. Hij zwaait afwerend met zijn armen en is duidelijk opgewonden. Alsof hij al weet wat er komen gaat en de opdracht heeft gekregen dat te voorkomen. Mark legt de agent uit wat ze willen gaan doen. 'We willen naar het kantoor daar.' Hij wijst naar het bakstenen kantoorgebouw dat een meter of vijftig achter het hek ligt. Terwijl hij het zegt schuift het elektrische poorthek dicht en er begint een alarm te zoemen. 'Dat schiet niet erg op,' gromt Peter, die het gesprek vanaf de wagen volgt. 'Nog even en dan hebben we de complete beveiliging op ons dak en de hele Zeeuwse politiemacht erbij.'

'Kan ik misschien de directeur te spreken krijgen?' roept Mark naar de portier. Maar deze trekt zich snel terug in de veiligheid van zijn glazen huisje en staat nerveus om zich heen te kijken waar de beveiligingsmensen van Petrotec blijven. Intussen zijn er een aantal auto's van nieuwsgierigen gestopt. Een oude man stapt op Mark af. 'Jullie komen uit Middelburg is het niet?' vraagt de man.

'Hoe weet u dat?' vraagt Mark. 'Ik herken jullie wagen uit de krant van vanochtend,' zegt de man. 'Daar staan jullie mooi in. Maar als jullie naar het hoofdkantoor van Petrotec willen moet je niet hier zijn. Dit is alleen de ingang naar het opslagterrein. Het kantoor heeft een aparte ingang.' De man wijst naar een tweede opening in het hek, een kleine honderd meter verderop. Een stukje verder staat ook het blauwe politiebusje geparkeerd.

'Vlug jongens, lopen met die kar!' schreeuwt Mark naar achteren 'Voordat ze ons tegenhouden.' De kar komt in beweging en hobbelt in een vaartje over de weg, in de richting van de ingang. Achter hen klinkt de sirene van de politieauto die hen snel inhaalt en voor hen stopt. Er gloeit een rood stopteken.

'Daar heb je het gedonder al,' sist Mark.

'Dit kun je niet maken!' roept de agent, die hijgend achter Mark is aangehold, zijn dikke buik schuddend over zijn broeksriem. 'Staan we daar rustig te praten, zet jij het ineens op een lopen met die kar. Oké, nu eerst graag een paar afspraken, anders grijpen we direct in en is het einde oefening!' De stem klinkt niet onvriendelijk, maar wel beslist.

'Wij voeren een actie tegen de olievervuiling en willen hier bij Petrotec de aandacht daarop vestigen,' begint Mark.

'Ja, dat is wel duidelijk,' zegt de agent. 'Maar wat zijn jullie van plan met die kar?'

'Naar dat kantoor rijden en onze leuzen roepen.'

'Daar hebben jullie geen vergunning voor aangevraagd,' zegt de agent.

Mark voelt zich nu in het nauw komen. Hij gaat in de aanval. 'Moet dat dan? We doen toch niets hinderlijks? We hoeven toch niet overal een vergunning voor te hebben? We lopen een beetje met een kar en zingen af en toe een liedje. Daar kan toch geen bezwaar tegen bestaan?'

De politieman glimlacht. Hij ziet het komische van de situatie wel in. Bovendien weet hij ook dat het doel van de actie sympathiek is. Hij heeft ook de ellende van de olie op de stranden gezien. 'Maar geen verstoring van de openbare orde,' waarschuwt hij. 'Ik laat jullie verder gaan, maar we blijven jullie scherp volgen.' Hij geeft een wenk naar de politieauto die daarop stapvoets verder rijdt.

De kar is nog maar net weer op gang gebracht of er klinkt opnieuw een alarmgeluid. Een klein groen autotje komt met gillende sirene uit de poort rijden. 'Het wordt druk hier,' grijnst Peter. 'Wij zijn absoluut staatsvijand nummer één.' Het groene autootje gaat naast de kar rijden. 'Niet stoppen, gewoon doorlopen,' roept Kirsten. 'Dat is een eigen bewakingsdienst, die hebben niets te vertellen over de openbare weg. Gewoon doorgaan.' Ze naderen de hoofdingang. De kar stopt vlak voor de poort. Het is doodstil op het terrein. In het kantoorgebouw worden wat gordijnen opzij geschoven en verschijnen er wat hoofden voor de ramen, maar het lijkt toch wel alsof iedereen opdracht heeft gekregen binnen te blijven. De slagboom voor de ingang is dicht. In een glazen gebouwtje zit een portier in uniform achter een knoppenpaneel. Hij blijft binnen zitten. 'Afgesproken werk,' zegt Peter ' Zij moeten zich stil houden en ons niet uitlokken.'

'Maar we kunnen moeilijk door die slagboom heen breken,' zegt Mark.

'Met die kar niet, maar zonder kar kom ik er wel doorheen,' roept Peter. Hij springt van de wagen af en rent naar de slagboom toe. Maar dan ineens klinkt de megafoon van de politieauto. 'Hier spreekt de politie,' schalt het over het terrein. 'Als u daar niet weg blijft wordt u direct gearresteerd.' Peter houdt voor de slagboom stil. Dat idee lokt hem niet aan. Vragend kijkt hij achterom naar de wagen. 'Het wordt menens, jongens,' roept hij. 'Wat nu?' Maar niemand weet eigenlijk goed raad met de situatie. Hier zijn ze niet goed op voorbereid. Dit is ook een heel andere situatie dan op het tjokvolle marktplein in Middelburg, met al die klappende en joelende mensen. Dit is een kaal en winderig industrieterrein met een doods kantoorgebouw, waar een handjevol mensen toevallig op de fiets of met de auto passeert. Ze kijken wel even naar die vreemde kar, maar daar blijft het bij. De sfeer is grimmig aan het worden. 'We moeten iets bedenken,' zegt Mark. 'Dit lijkt nergens op.'

'Wel slim van die lui in dat gebouw,' zegt Andres. 'Ze negeren ons gewoon. Kijk, ze mogen niet eens meer naar buiten kijken.' Hij wijst naar het gebouw waar de gordijnen en de zonweringen dicht getrokken worden. 'Ze doen alsof er niets aan de hand is. Reken maar dat ze heel goed weten dat we hier staan. Zo rustig als het lijkt is het daarbinnen niet. Wedden dat ze achter die ramen volop over ons praten?' Peter, die nog bij de slagboom staat, roept: 'Hier bereiken we niet veel. Zullen we dan toch maar doorgaan naar Borsele? 'Dat ligt daar verderop.'

'Schei toch uit man!' zegt Mark, nu geïrriteerd. 'Kijk naar dat politiebusje. We komen nog geen tien meter verder.' Het ME-busje staat in een bocht aan de kant van de weg. 'Binnen de kortste keren staat er een blauwe muur met schilden en helmen op de weg.' beaamt Donya. 'Dat zijn getrainde politiemannen. Reken maar dat die moeten voorkomen dat jullie in de buurt van de kerncentrale komen.'

'Ik heb een ander idee,' zegt Andres. Hij kijkt naar het hek dat het fabrieksterrein van de weg afschermt. Het is zo'n twee meter hoog met scherpe punten. 'Daar kunnen we wel iets mee.' Hij trekt aan de voorste mast op het treurschip waaraan de dode olievogels hangen. De kadavers zwiepen heen en weer. 'Als we die vogels nou eens op de punten van dat hek spiesen,' zegt hij. 'We hangen ons Petrotec-spandoek aan het hek en vragen Klaas Oldenburg en die tv-man om daarvan platjes te schieten.' Terwijl de stinkende vogellijkjes van de mast worden gehaald, sjokt Mark in zijn rafelige monsterpak naar de persmensen en legt het plan uit. 'Dat kan zeker een pakkend plaat worden, die gespietste vogels,' zegt Klaas Oldenburg 'Maar het moet wel snel gebeuren. Die bewakers zullen direct proberen in te grijpen, dus je hebt maar weinig tijd.'

'We moeten een aanvalsplan maken,' zegt Andres. 'We vallen naar drie kanten tegelijk uit. Eén groepje rent naar het hek en spiest die dode vogels op de hekpunten. De tweede groep gaat met Peter met een paar zakken rommel van de boot naar het kantoor en gooit die daar neer, en de derde groep rent op de politieauto af en maakt vreselijk stampij. Schreeuwen, met spandoeken zwaaien, tromgeroffel, we halen alles uit de kast. We gooien de olievaten van de kar en rollen die voor die auto's. Zo winnen we tijd voor de uitvoering van die twee andere acties, met die vogels en de strandrommel.' De actie wordt bliksemsnel voorbereid. Plastic zakken worden gevuld met de troep die op de kar ligt. Blikken, flessen, stukken hout en touw, besmeurd plastic en allerlei ander aanspoelsel. Het afhalen van de dode vogels is een smerig karweitje. De olievogels zijn half stijf van het invriezen, het voelt niet prettig aan en ze stinken vreselijk naar olie en bedorven vlees. Klaas Oldenburg en de cameraman van Dirk Bouter kiezen intussen onopvallend hun positie in de buurt van het hek. Als iedereen klaar is geeft Mark het teken. Tooske en Wilco Hiemstra geven de oliedrums een zetje zodat ze met luid gekinkel van de wagen afrollen. Een paar leden van de groep rennen erachter aan en rollen de drums met handen en voeten in de richting van de auto's van de politie en de bewakingsdienst. Tegelijk rennen drie leden van de groep met elk een plastic zak met dode vogels naar het hek. Zij klimmen er op en spiesen de vogels op de hekpunten. Twee andere leden van de groep binden het Petrotec-spandoek aan de spijlen. Daaronder wordt een foto van een aangetaste zeehonden gezet. Klaas Oldenburg knipt zijn foto's en de cameraman van Dirk Bouter maakt opnamen met zijn televisieploeg. Peter rent met zijn groepje onder de slagboom door, de portier en twee agenten verbouwereerd achterlatend. De verrassing is compleet. De politieluidspreker is door het geram op de oliedrums en het geschreeuw niet te horen. De bewakingsmensen komen nog wel uit hun auto, maar zijn te laat om nog wat te kunnen doen. Ze staan een beetje verdwaasd naar het schouwspel te kijken. Het lijkt wel een film waarin van alles tegelijk gebeurt. Als Peter bij de ingang van het kantoorgebouw is gekomen probeert hij de draaideur open te duwen. Maar die is buiten werking gesteld. Daarom gooien ze de zakken leeg op de stoep van het gebouw. Binnen een paar minuten is iedereen weer terug bij de wagen. De vogels op de punten van het hek en de foto van de dode zeehonden vormen een sinister beeld. Het spandoek met de tekst 'PETROTEC –OLIELEK! ' hangt er als een aanklacht tussen. De twee bewakingsmensen staan weifelend bij het hek. Ze overleggen druk, maar durven niet goed in te grijpen, omdat ze ook wel zien dat er foto's worden gemaakt en dat ze gefilmd worden. Er zijn intussen meer persmensen aangekomen, die er de lucht van hebben gekregen dat er iets aan het gebeuren is bij het Petrotec-terrein. De bewakers lopen druk telefonerend met hun mobiele telefoon het terrein op en blijven bij de portiersloge staan, wachten op instructies. De politiemannen zijn uit hun auto gestapt en lopen op de treurwagen af. De vriendelijkheid is nu compleet verdwenen. Een van hen beent op Mark af. 'Dit zit niet goed, jongen,' zegt hij dreigend. 'Ik moet je vragen met ons mee te gaan.'

'Waarom hij?' komt Kirsten Kappelman ertussen. Haar deftige uitstraling in dat mooie broekpak, met haar opgestoken haar en zware opmaak valt nu wel heel erg op tussen de verklede actievoerders op dat kale industrieterrein. 'Mark heeft toch niets verkeerds gedaan? Hij loopt alleen maar in dat rare pak. Dat is toch niet verboden?' Ze wijst in de richting van de groep die nu weer voltallig bij de wagen staat. 'Dan moet u iedereen hier arresteren.' De agent weifelt. Hij weet ook niet goed raad met de situatie, pakt zijn telefoon en zoekt contact met zijn bureau. Na een paar minuten komt er een vrouw in een blauwe blazer met een bedrijfslogo uit een zijdeur van het kantoorgebouw. Zij praat even met de twee bewakers bij de slagboom en loopt dan op de dodenkar af. Daar geeft zij de wachtende agenten een hand en stelt zich aan Mark voor. 'Ida Bezemer, woordvoerder van Petrotec. Ik moet u vragen om het hek weer schoon te maken en uw rommel bij de draaideur weg te halen.' Mark kijkt vragend naar zijn groep. Het belangrijkste doel van hun actie is bereikt: er zijn genoeg foto's en filmopnamen gemaakt. Waarom zouden ze niet op het verzoek ingaan? De politieman wendt zich tot de vrouw: 'Mevrouw Bezemer, wilt u een aanklacht indienen?' De vrouw knikt in de richting van de fotografen. 'Als wij door die foto's negatief in de publiciteit mochten komen, dan zullen wij overwegen of wij deze mensen aansprakelijk zullen stellen voor de schade die wij daardoor zullen lijden.'

'Wij kunnen die persmensen toch niet tegenhouden hun werk te doen,' reageert Kirsten uiterst beheerst en zelfverzekerd. 'Maar u bent wel verantwoordelijk voor deze oploop hier,' zegt de vrouw. 'Net zoals ú verantwoordelijk bent voor de dood van die vogels daar,' komt Mark er tussen. 'Daar is geen sprake van,' zegt de vrouw. 'Dit bedrijf heeft daar niets mee te maken. Die ramp is veroorzaakt door een vervelend scheepsongeluk waaraan ons bedrijf geen schuld heeft.'

'Maar het is wel uw olie. En als het uw schuld niet is, waarom wil u het dan op een akkoordje gooien met de gemeenten?' probeert Andres. 'Dat moet u ons dan maar eens uitleggen.'

'Ik hoef hier helemaal niets uit te leggen,' reageert de woordvoerder bits. 'Dat laat ik graag over aan onze advocaat als het zo ver is. Het is overigens ook onze olie niet. Het was olie voor een andere vestiging in Duitsland. Wij staan hier compleet buiten.'

De politieman heeft intussen het een en ander genoteerd. 'U kunt hier wel blijven bekvechten met elkaar,' zegt hij. 'Maar zo langzamerhand moet hier maar een einde aan gemaakt worden.' Hij wendt zich tot Mark. 'Volgens mij ben jij de aanvoerder van dit gezelschap. Je hoort nog wel van ons. Mag ik aannemen dat de actie hiermee nu beëindigd is en dat jullie het verzoek van de directeur om de rommel weer op te ruimen inwilligen?' Zonder antwoord af te wachten wendt hij zich tot de woordvoerder. 'Als die rotzooi wordt opgeruimd, is het dan ook voor u afgelopen? Of wilt u toch nog een aanklacht indienen tegen deze mensen?' De vrouw aarzelt een moment. Dan zegt ze: 'Ik heb u al gezegd: dat houden wij nog in beraad. Wij willen dat zij de zaak nu schoonmaken en ons dan verder met rust laten. Wij zullen nog bezien of er verder acties van onze kant moeten komen.' Met een korte groet loopt zijn terug naar het gebouw. Maar voordat ze het terrein op kan lopen is Dirk Bouter met zijn cameraman achter hem aangelopen. 'Gaat u later een aanklacht indienen?' roept de reporter.

'Geen commentaar,' roept de vrouw terug.

'Heeft uw bedrijf de gemeenten geld geboden om de stranden schoon te maken?'

'Geen commentaar.'

'U ontkent het dus ook niet?' Zonder verder te reageren loopt de vrouw langs de slagboom. Als Dirk Bouter met haar wil meelopen wordt hij tegengehouden door de bewakers. 'Stop maar met filmen, jongen, ' roept Bouter naar zijn cameraman. 'We hebben wel genoeg.' Intussen zijn er een paar medewerkers van het bedrijf naar buiten gekomen om de rommel bij de draaideuren op te ruimen. Een paar leden van de groep halen de vogels en het spandoek weg van het hek. De persfotografen vertrekken en ook Omroep Zeeland maakt aanstalten om weg te rijden. 'Wij nemen nog wel contact met jullie op', roept Dirk Bouter door het portierraampje naar Mark. Die wordt intussen staande gehouden door de agent. 'U moet met ons mee naar het bureau,' zegt de agent. 'Wij willen nog een verklaring opnemen en het kan zijn dat wij de wagen in beslag moeten nemen.'

'In beslag nemen?' herhaalt Mark vragend.

'Jullie zijn er hier flink tegen aangegaan. En dat zonder toestemming voor een demonstratie vooraf. Dat gaat nu eenmaal niet.' Het klinkt niet onvriendelijk, maar wel onverbiddelijk. 'En het is ook niet de eerste keer dat jullie problemen in de openbare orde veroorzaken. Ook in Middelburg was dat het geval.'

Nadat Mark zijn verklaring op het politiebureau heeft gegeven moet hij nog enige tijd wachten. Er is nog overleg nodig over de vraag of de treurwagen in beslag genomen wordt. De kar wordt vervolgens toch vrijgegeven en hij kan weer worden teruggereden naar het atelier van Frida Malakovic. Mark zit er tevreden bij. Hij voelt zich een stuk lekkerder dan na de demonstratie in Middelburg. Dit keer verliep alles soepeler en ook voor hem zelf zonder al te veel problemen. Of raakt hij al wat gewend aan de spanning van het actievoeren? Nu moet nog blijken welke gevolgen de publiciteit via de media zal hebben en hoe daar weer op gereageerd zal worden. Mark begint te begrijpen: actie voeren is ook een groot spel van actie en reactie.

14

En dan naar Den Haag

De foto met de vogels op het hek staat in alle kranten. De Provinciale Zeeuwse Courant heeft het interview met Mark op de voorpagina. De 'opstand' van de scholieren noemt een grote avondkrant het in een commentaar. De landelijke televisiezenders laten beelden zien, die zij hebben overgenomen van Omroep Zeeland, waarvoor Dirk Bouter werkt. Samen met de Zeeuwse Courant had hij dus inderdaad de 'scoop'. De ramp is ook doorgedrongen tot de internationale pers met foto's van de vervuilde stranden en de demonstratie bij de oliefabriek op het industrieterrein. In Duitsland wordt veel aandacht besteed, aan de rol van Petrotec. Het olieconcern blijkt in Duitsland al eerder voor milieuproblemen te hebben gezorgd, waarbij de verantwoordelijkheid met juridische trucs werd afgeschoven.

In het atelier van Frida Malakovic is de klas bijeen om de actie te evalueren. Mark krijgt nauwelijks gelegenheid om erbij te zijn. Hij wordt voortdurend aan de telefoon geroepen voor interviews. Hij is zelfs gevraagd om in een veelbekeken televisieprogramma over de actie te praten. Maar er is ook vervelend nieuws. Er is een faxbericht van het Rotterdamse advocatenkantoor Gilling en Heuswoud waarin Petrotec eist dat er geen verdere actie meer tegen haar plaatsvindt, op straffe van een aanklacht wegens smaad. De advocaten kondigen tevens aan dat zij zich beraden op juridische stappen wegens schade door de negatieve publiciteit, die door de twee acties aan het bedrijf is aangericht.

'Pure bluf,' zegt Geke van der Wal, die samen met Jan Joustra naar het atelier is gekomen. 'Jullie moeten je niet laten intimideren. Laat ze eerst maar eens aantonen wat voor schade zij dan precies lijden als gevolg van jullie demonstraties. En dan moeten ze ook nog bewijzen dat jullie voor die eventuele schade verantwoordelijk gesteld kunnen worden.' Geke windt zich op over de houding van Petrotec. 'Zijn ze nou helemaal gek geworden,' roept ze verontwaardigd, 'Wat denken ze daar wel! Als er iemand schade heeft veroorzaakt is het Petrotec zelf wel.'

'Wordt het geen tijd dat wij ook steun zoeken bij een advocaat?' oppert Jan Joustra. 'We kunnen ons er wel kwaad over maken, maar daarmee schrik je Petrotec niet af. Die weten wel hoe ze het spel moeten spelen.'

'Mijn vader is advocaat,' zegt Kirsten Kappelman, 'Hij is betrokken bij een zaak over Schiphol. Een actiegroep heeft een startbaan bezet, waardoor er geen vliegtuigen konden opstijgen. Schiphol heeft die groep aangesproken op schade en er speelde ook iets met dwangsommen. Ik kan hem vragen wat wij moeten doen met die dreigementen van Petrotec.'

Die avond zit Mark in een late night talk show op de televisie. Daaraan vooraf gaat een filmpje van de ramp en de demonstraties in Middelburg en bij de fabriek. Burgemeester Zieneman is ook uitgenodigd in het interviewprogramma, maar wilde niet komen. Op het filmpje herhaalt de burgemeester dat hij sympathie heeft voor de acties van het Walchria, maar dat hij vindt dat het binnen de grenzen van de wet moet blijven. Petrotec is om een reactie gevraagd, maar het bedrijf weigert commentaar. Mark wordt scherp ondervraagd, maar hij houdt zich prima staande. 'Vind je niet dat je beter kunt meehelpen de troep van het strand te krijgen dan te demonstreren en de autoriteiten voor de voeten te lopen, die bezig zijn de boel op te ruimen?' is een van de vragen die Mark krijgt. In de voorbespreking was Mark door de interviewer gewaarschuwd dat dit soort vragen zouden kunnen komen. Om de zaak 'scherp' te krijgen, zei de man. 'Het moet allebei gebeuren,' antwoordt Mark diplomatiek. 'Ook onze mensen zijn op het strand te vinden om te helpen, en vogels te zoeken die geholpen kunnen worden. Maar wij vinden dat wij ook duidelijk moeten maken dat het zo niet langer kan met de vervuiling van onze zee. U moest eens weten hoeveel schepen met gevaarlijke lading elke dag vlak langs de stad Vlissingen varen en hoe vaak er zogenaamde 'bijna' ongelukken op de Schelde plaatsvinden. Sla de registers er maar eens op na.' Mark zit erbij alsof hij nooit anders heeft gedaan dan tv gesprekjes voeren. Tijdens het interview is op de achtergrond de foto te zien van de op de punten van het hek gespieste olievogels met daarachter de opslagtanks van de fabriek.

De volgende dag is het atelier van Frida Malakovic een druk actiecentrum waar heftig wordt gediscussieerd en voortdurend telefoons afgaan. De hele dag en avond wordt er gebeld door journalisten die informatie willen. Vanuit Hamburg, waar Petrotec grote installaties heeft, is een complete televisieploeg onderweg voor een reportage. Het valt Mark op dat in alle interviews steeds weer de vraag terugkomt of er nog nieuwe acties zijn te verwachten. 'Wat zeg je ze dan?' vraagt Annette, als zij tegen de avond met de hele klas bij de chinees in Dishoek zitten te eten. 'Heel simpel. In drie talen dat ik dat nog niet weet.'

'Drie talen maar?' grapt Peter. 'Ik heb de indruk dat heel Europa naar ons kijkt.'

'In elk geval in het Frans, Duits en Engels. Met dank aan het Walchria, waar ik dat geleerd hebt.'

'En Spaans,' zegt Andres, 'Ik heb een journalist van een Spaanse krant aan de telefoon gehad. Die vertelde dat ze een paar jaar geleden een grote olieramp op de Baskische kust hebben gehad, die erg lijkt op de ramp hier.'

Mark zit tijdens het eten voor zich uit te staren. Hij prikt lukraak wat in zijn bord nasi. Iedereen zegt dat hij het goed doet. Maar hijzelf heeft het gevoel dat veel van wat er gebeurt vanzelf gaat. Hij wordt erin meegezogen, als in een maalstroom. De pers zit er boven op en daardoor wordt de actie steeds groter.

'We moeten nu wel beslissen wat we doen,' dringt Peter aan, die het probleem van zijn vriend aanvoelt. 'Nu kappen met de hele handel, en rustig afwachten hoe het verder zal gaan met de effecten van onze acties. Of een nieuw plan bedenken en nog een keer stevig uithalen.' Mark blijft zwijgen. Hij wacht af en laat de anderen discussiëren. Hij heeft de smaak wel goed te pakken. Al zijn onzekerheid is nu verdwenen. Een gevolg van succes. Dat gevoel dat er steeds iets nieuws gebeurt, dat maakt onzeker, maar het is ook spannend en uitdagend. Zo'n actie is net een ontdekkingstocht over een snelstromende rivier, je weet niet waar je boot met de stroom naar toe gaat, en er zijn steeds nieuwe dingen op de oevers.

Ook Jan Joustra en Geke van der Wal zijn overrompeld door de grote belangstelling uit alle hoeken van het land en daarbuiten. Zij zijn bezorgd dat de belangen van de leerlingen en de school in het gedrang komen. Over hun schoolproject heeft niemand het meer en dat kan zo niet blijven. Tot nu toe liep het nog goed af, ook al was er al veel getelefoneer en gemail van ongeruste ouders. Bij het volgende loopje naar de wokpannen op het buffet neemt Jan Joustra Mark even apart. 'Is het niet genoeg zo? Mark,' vraagt hij. 'Jullie hebben nu echt maximaal aandacht getrokken van de media.'

'Ik wil de discussie in de groep afwachten,' antwoordt Mark. 'We kunnen de zaak nu niet zo maar afblazen. Iedereen verwacht een volgende actie.'

'Een actie beginnen is één ding,' zegt Jan Joustra. 'Je weet dat ik daar grote twijfel over had. Maar je moet ook weten te stoppen. Bij de tweede dacht ik al: jongens, hou ermee op, dit loopt gierend uit de hand. Laat staan bij nog een actie. Petrotec is te groot voor jullie!' De verhouding tussen Mark en Jan Joustra is sterk verbeterd, maar nu voelt Mark toch weer iets van een groeiende afstand. Jan Joustra heeft dan wel wat steun gegeven bij de eerste actie, bij de tweede was hij afwezig en nu kruipt hij in zijn schulp en wil Mark weer afremmen. 'Donya zegt dat ik het vertrouwen van de groep gewonnen heb en dat ik dat niet zo maar kan inleveren. Ik moet eerlijk zeggen, ik heb er ook een goed gevoel bij. Iedereen heeft het nu over de olieramp en onze ongerustheid over de vervuiling van de zee wordt steeds breder. Kijk maar hoe de kranten het oppakken en de radio en de televisie.'

'Word je ook niet een beetje ijdel van al die aandacht?' Jan Joustra prikt zijn baardje naar voren. 'Met als gevolg dat je jezelf en de groep gaat overschatten? Dat kan ook gevaarlijk zijn.' Een week geleden zou Mark van boosheid over zo'n opmerking van Jan Joustra geprikkeld gereageerd hebben. Nu vangt hij de vraag behendig op. Hij heeft met Donya ook over dat risico gesproken. Dat je in een roes van actievoeren terecht komt en je niet meer nuchter over je eigen positie daarin kunt nadenken. 'Luister Jan,' begint hij, 'wat hebben we nu eigenlijk bereikt? Akkoord, veel aandacht voor de ramp en onze demonstratie. Maar de olie en giftransporten gaan wel gewoon door. Ik wed dat er, terwijl wij hier staan te praten en de vogels en vissen stikken in de olie, tientallen schepen vol rotzooi langs de kust varen.'

'Maar dat houd jij niet allemaal tegen met je acties. Je kunt ook teveel willen,' werpt Jan Joustra tegen. 'Dat snap ik ook wel,' zegt Mark. 'Maar ik heb die verschrompelde vogels op het strand met eigen ogen gezien en ze in mijn handen gehad. Dat is verschrikkelijk. Dat wil je niet meemaken. En we staan niet alleen. We krijgen berichten van steun uit de hele wereld. Ga maar eens kijken bij Andres. Die houdt dat allemaal bij. We maken het nodige los met onze acties. En dat laat ik niet uit mijn handen glippen.' Terwijl hij zo praat, verbaast hij zich over zichzelf. Het komt er veel zekerder uit dan hij feitelijk is. 'Dat is ook je probleem', heeft Donya hem gezegd. Hij weet het zo goed te brengen, en ziet er dan zo zelfverzekerd uit dat iedereen hem het vertrouwen wil geven. En zo haalt hij steeds meer naar zich toe en daar wordt hij dan weer onrustig van. Maar hij staat daarin niet alleen. Ook in de groep is het actievuur al zo ver opgelaaid dat het niet kan worden gedoofd. Dat wordt nog sterker als Kirsten komt vertellen dat haar vader vindt dat zij zich niets moeten aantrekken van de juridische druk van Petrotec. 'Hij zegt dat het heel duidelijk is dat Petrotec moeite heeft om een houding te bepalen,' legt Kirsten uit. 'Die fax met dat dreigement is bedoeld om ons schrik aan te jagen en te overbluffen. Mijn vader zegt dat er niets aan de hand is zolang we geen geweld gebruiken of Petrotec belasteren of grof uitschelden.' Andres trekt zijn wenkbrauwen op. 'Dat zijn wij toch ook niet van plan?'

'Mijn vader bedoelt écht geweld: vechten, ergens binnendringen, dingen kapot maken, zulk soort dingen.'

'Dat laten we graag aan Petrotec over,' schampert Peter. 'Zeeën vergiftigen. stranden vernielen, dieren doden.'

'En ook geen grove en persoonlijke aanvallen op mensen van Petrotec doen,' gaat Kirsten verder. 'Dus goed op onze woorden letten.'

Donya heeft zich de hele dag al op de achtergrond gehouden, maar nu mengt zij zich in de discussie. 'Misschien moeten wij nu verder kijken dan naar Petrotec,' zegt ze met haar zachte stem. 'Onze actie is tegen de vervuiling en vergiftiging van de zee en de stranden gericht. Petrotec is maar een van de vele bedrijven wereldwijd die dergelijke risico's veroorzaken. Kijk maar eens naar al die meldingen die we in een paar dagen tijd uit heel veel landen gekregen hebben. Het zou veel beter zijn als er een internationale regeling komt. En daar hebben we de regering voor nodig. Die kan dat aan de orde stellen. Jullie zouden dus beter bij de regering kunnen demonstreren. Dat heeft misschien meer effect dan het aan de schandpaal nagelen van een bedrijf.' Het blijft even stil aan tafel. Daaraan heeft nog enkel niemand gedacht. Alle ogen zijn ineens op Donya gericht. Zij zit bedachtzaam haar rijst met groenten op te eten. De kip en andere vleeshapjes laat zij liggen. Zij eet liever geen vlees. Los van haar voorkeur, vlees was ook schaars in Iran, en duur. Zij verbaasde er zich direct al over in Nederland dat er zoveel vlees wordt gegeten.

Donya's woorden zweven nog een tijdje boven tafel. Het kost sommige leden van de groep toch nog steeds enige moeite om te accepteren dat een meisje van een andere school en uit een vreemd land, en dat laatste weegt misschien nog zwaarder, zo'n corrigerende opmerking maakt. Tooske reageert als eerste: 'Ik ben het met Donya eens. Petrotec is eigenlijk maar bijzaak. Het gaat om het verbieden van gevaarlijke ladingen, scherpere voorschriften voor het vervoer van olie over zee. Dat soort zaken.'

'Maar dat betekent dat we naar Den Haag moeten, naar het Binnenhof en daar demonstreren.' zegt Kirsten. 'Dat schiet pas echt op. Daar is het juiste adres, bij de Tweede Kamer.'

'Weer met die kar?' verzucht Annette. Zij heeft wel een beetje genoeg van haar zeehondenpak. En ze schrikt terug voor weer zo'n organisatie met oplegger, opgetuigde kar, pakken, spandoeken en alle die zaken en zaakjes die dan geregeld moeten worden. En dan van Middelburg naar het centrum van Den Haag. Hoe moet dat in 's hemelsnaam?

'Waarom niet gewoon met de trein?' brengt Donya in. Het blijft stil. Daaraan had nu werkelijk niemand gedacht. Tooske reageert weer als eerste positief. 'Ik zie dat ook wel voor me,' zegt ze. 'In onze pakken en met onze spandoeken. Dan hebben we die kar niet nodig. Het publiek is er al. In de trein en op de stations. Als we de pers erbij vragen krijgen we weer veel aandacht. We zij nu bekend genoeg.'

Jan Joustra slaat demonstratief zijn handen voor zijn gezicht. 'Niet nog eens zo'n onderneming,' zucht hij, 'alsjeblieft. Bespaar me dat!' Maar Geke slaat haar arm om zijn schouder 'Gezellig toch Jan, zo'n tochtje naar Den Haag?'

'Neem mij nou niet kwalijk,' moppert Jan, 'dit kan ik echt niet meer uitleggen aan de schoolleiding. Oké, één keer demonstreren op een ludieke manier om je boosheid te laten zien, dat kan nog. Een twééde keer omdat de eerste keer niet genoeg was om de boodschap over te brengen, vooruit dan maar, dat kan ook nog. Maar dan nóg een keer een zuiver politieke actie opzetten, dat gaat mij te ver.'

'Jou misschien wel, ons niet,' beslist Mark zonder een spoor van twijfel. 'Wij vragen geen toestemming van school.'

'Je zult toch vrij moeten krijgen?' probeert Jan Joustra nog. 'Of némen', bromt Mark. Hij heeft geen zin om die discussie nog eens te voeren. De actie wordt nu zo groot dat een dagje wegblijven niet zijn eerste zorg is. 'Dan moet de school nog maar een keer accepteren dat onze actie goed past in het project over de zee.' Geke schiet Mark te hulp. 'Zal ik eens met de directeur spreken?' biedt zij aan. 'Heel Nederland weet nu dat jullie actie voeren vanwege de olieramp. Volgens mij komt de naam van onze school daardoor ook positief in het nieuws. Dat zal de schoolleiding ook begrijpen. Als wij de waarschuwing van Kirsten's vader serieus nemen hoeven wij ook geen risico's te lopen, waarmee de school later geconfronteerd kan worden.' Zij legt haar hand op de arm van Jan Joustra. 'Mark heeft toch gelijk, Jan, je kunt niet ontkennen dat die twee acties behoorlijk succesvol waren? Dat straalt ook op de school af.'

'Misschien wil de directeur zelf wel een spandoek omhoog komen houden in Den Haag,' grijnst Peter. 'Nodig hem maar vast uit.' Jan Joustra maakt een wegwerpgebaar en staat op om een nieuwe portie eten te halen. 'Ik zal er niet voor gaan liggen,' zegt hij. 'Dat zou ik ook maar niet doen,' roept Peter hem achterna. 'De trein rijdt door.'

Geke klapt haar mobiel open en zoekt contact met de directeur. Als hij niet opneemt stuurt ze een sms. Niet veel later belt hij terug. Hij laat weten dat hij contact heeft gehad met een paar collega-docenten en de voorzitter van de ouderraad. Tot zijn verrassing heeft hij instemmende reacties ontmoet. Iedereen was op de hoogte van de acties en de meesten waardeerden het dat de klas op zo'n ludieke manier in actie was gekomen.

'En als zij een nieuwe actie in Den Haag doen?' was de vraag van Geke. Er volgde een ingewikkeld antwoord dat Geke na het telefoongesprek als volgt samenvat. 'Er komt geen formele toestemming voor verzuim van de school, maar ook geen bezwaar tegen afwezigheid. Een beetje dubbel dus, maar dat kan niet anders. De school kan niet officieel achter een scholierenactie gaan staan, maar wil ook niets in de weg leggen, gelet op het doel van de actie en de ludieke manier van uitvoeren. Wij moeten in nauw contact blijven met mijnheer Kappelman, Kirstens vader. Hij is niet alleen advocaat, maar ook voorzitter van het schoolbestuur en dat komt dus goed uit.'

'Dus de weg is vrij?' concludeert Mark verwonderd over zo weinig tegenstand.

'Kan je wel zeggen,' antwoordt Geke. 'Maar het blijft ieders eigen verantwoordelijkheid.'

Als ze enkele dagen later door Middelburg lopen, op weg naar het station, trekken ze weer volop de aandacht. Wilco heeft als vervanging van de twee oliedrums een grote pauk om zijn hals gehangen en Tooske heeft weer haar saxofoon mee. De olievogels in hun zwarte capes, Annette Vermaat in haar zeehondpak, Jeanine van Dam als puistenvis, en voorop Mark in zijn olie monsterpak. De dode olievogels worden aan een touw meegedragen tussen de spandoeken. Ze zijn in plastic verpakt omdat de stank in de gesloten ruimte van een treincoupé niet te harden zou zijn. De foto's van zieke zeehonden zijn op borden geplakt die omhooggestoken wordt meegedragen. Ook fotograaf Klaas Oldenburg is er weer bij, evenals Eefje Mandemaker, de verslaggeefster van de Zeeuwse Courant. De trein naar Den Haag valt net in de ochtendspits. Op het perron staan veel mensen te wachten die de optocht belangstellend bekijken en als er yellen worden aangeheven enthousiast gaan meedoen. Dankzij de berichtgeving op radio en televisie zijn ze al bekende Nederlanders geworden. Onderweg wordt het steeds drukker in de trein. De mensen vermaken zich uitstekend met die merkwaardige olie- en gifdemonstranten. De dode vogels verspreiden ondanks het plastic een penetrante olie en bederfgeur, maar dat wordt voor lief genomen. Iedereen lijkt te begrijpen dat daarmee de ernst van de ramp wordt onderstreept. Op aangeven van Andres scandeert de hele trein de leuzen, die intussen overal bekend zijn geworden door de krant, de radio en de tv uitzendingen van de demonstratie bij het stadhuis en de raffinaderij.

GIF STROOIEN IS DOOD GOOIEN
GIFBOOT IS DIERENDOOD
OLIEBOOT IS VOGELDOOD.

Het spandoek met Petrotec is thuis gebleven, de actie gaat nu een andere fase in, niet meer tegen een bedrijf in het bijzonder. Zo worden ook juridische complicaties voorkomen. Als ze in Den Haag aankomen is er op het perron volop pers aanwezig. De camera's flitsen en er snorren tientallen filmcamera's; niet alleen persmensen, maar ook particulieren filmen de bizarre stoet. In de stationshal gaat Mark op en bank staan en houdt nog een keer de toespraak die hij eerder op het marktplein in Middelburg heeft gehouden. De hal staat snel bomvol toehoorders omdat de treinen steeds nieuwe ladingen mensen aanvoeren die niet doorlopen, maar blijven staan om de demonstratie te volgen. Hier en daar zijn ook politiemensen te zien, maar de sfeer is zo feestelijk dat het wel lijkt alsof zij ook bij de actie horen. Voorafgegaan door de paukenslagen en de saxofoon van Wilco en Tooske gaat de stoet op weg naar het Binnenhof waar de Tweede Kamer vergadert. Onderweg is er veel bekijks. Overal blijven passanten staan om de stoet te volgen. De Hagenaars zijn wel iets aan demonstraties in hun stad gewend, maar dit is toch wel een heel opmerkelijk gezelschap. Op het grote plein voor het glazen gebouw van de Tweede Kamer houdt de optocht stil. Er zijn wel zo'n honderd mensen met hen meegelopen die telkens op een teken van Andres de leuzen op de spandoeken meeschreeuwen. Het wachten is nu op geïnteresseerde Tweede Kamerleden, die inderdaad de een na de ander een kijkje komen nemen. Andres staat op het standbeeld midden op het plein en roept zijn leuzen door de megafoon. Het wordt steeds drukker en ook gezelliger op het plein. Een paar studenten hebben spontaan een eigen orkestje gevormd met een paar blaasinstrumenten.

Mark klimt met de megafoon op het standbeeld en doet zijn verhaal voor de verzamelde politici en pers.

Als hij klaar is trekt Geke hem aan zijn been. Zij staat bij het monument met iemand van het televisiejournaal. Het is een tengere man met een zwarte bril in wie Mark een bekende tv-reporter herkent. Hij heeft een bolvormige microfoon bij zich. Achter hem staat een baardige man met een videocamera op zijn schouder. De verslaggever vraagt of Mark even met hen wil meelopen naar een wat rustiger plekje voor een kort vraaggesprek. Terwijl Mark met de reporter in gesprek is verschijnen er ineens veel meer microfoons en verslaggevers, die hem vragen willen stellen. Ze verdringen elkaar, en tussen hen in ontwaart Mark Dirk Bouter van Omroep Zeeland. Zodra het spervuur van vragen een beetje wegebt, loopt Mark naar hem toe. 'Heb je toch ook nog wat tijd voor mij, beroemdheid?' grijnst de reporter. 'Voor jou natuurlijk altijd,' zegt Mark. Hij is deze reporter wel wat verschuldigd. Hij toonde immers al direct bij hun eerste demonstratie belangstelling en heeft daarna fantastisch geholpen. Eigenlijk heeft Dirk Bouter hem beroemd gemaakt.

'Het gaat goed hè?' zegt Dirk Bouter met bewondering in zijn stem. 'Ik hoor van collega's dat jullie zelfs in Duitsland op de televisie komen. In Hamburg is ook iets aan de knikker geweest met een lekkende olieleiding van Petrotec, waardoor een rivier sterk vervuild raakte.' Rondom Mark wordt geduwd en getrokken. Een buitenlandse cameraploeg wil een paar shots van hem maken en daarvoor maken ze hardhandig wat ruimte om hem heen. 'Ik wilde je nog iets vragen, Mark,' zegt Dirk Bouter met zijn mond dicht bij Marks oor vanwege het rumoer. 'Naar aanleiding van jullie actie willen wij een documentaire maken over de zeevervuiling. Wij noemen dat een 'docufilm', dat is afwisselend info en spel, niet door beroepsacteurs maar door gewone mensen. Begrijp je?'

'Dit wel. Maar waar wil je heen?' Mark is wat ongeduldig door al dat gedrang om hem heen.

'Een film. Met jullie klas als spelers en daarbij reacties en commentaren van vissers, biologen, natuurliefhebbers, eilandbewoners, recreanten. De documentaire is gericht op scholen, verenigingen en dergelijke.'

'Lijkt mij wel een goed idee. Maar wat wil je precies van mij?' Mark staat onrustig te wiebelen. Hij wil terug naar de groep, waar nu enkele politici zijn aangekomen. 'Of jullie willen meedoen. Als hoofdpersonen. Met jullie wagen en kostuums.' Dirk Bouter ziet dat Mark te ongedurig is voor een gesprek. 'Denk er eens over. Ik bel je nog wel.' Mark zou Mark niet zijn als hij tussen alle drukte en activiteiten om hem heen niet toch even de woorden van Dirk Bouter op zich liet inwerken. Hij kan aan veel dingen tegelijk denken. Was dat maar wat minder, dan zou hij een rustiger leven hebben.

Zo´n docufilm zou mooi passen in hun schoolproject over de zee. Hij neemt zich voor erover te praten met Jan Joustra en Geke van der Wal. Het zou wel iets heel anders zijn dan de gebruikelijke schriftelijke rapportages van dit soort projecten. Hij wringt zich terug naar het midden van het plein en wordt dan meteen weer door iemand meegetrokken naar de milieuspecialist van een grote politieke partij. Zij stelt zich aan Mark voor en zegt dat zij van plan is Kamervragen te gaan stellen aan de minister van milieu. 'Wat gaat u dan precies vragen?' wil Mark weten. 'Of zij ook niet vindt dat Petrotec moet worden vervolgd vanwege een milieumisdrijf.'

'Prima dat jullie deze zaak willen aanpakken,' reageert Mark. Maar wij denken dat het noodzakelijk is dat jullie hier in Den Haag de zaak ook breder zien. Deze week is het Petrotec op Walcheren, vorige keren waren het andere bedrijven op andere plaatsen, en morgen of overmorgen is het misschien weer mis op weer andere plaatsen in de wereld. Kortom, overal is de zee in gevaar. Maar zeker op de drukke vaarwegen in de Noordzee, waar tientallen olieplatforms staan en ook nog naar gas wordt geboord. Jullie moeten de wet zo maken dat zulke grote risico's op zee niet meer mogelijk zijn, Dat moet beter geregeld worden. Net als het over drukke zeestraten vervoeren van gevaarlijke gifstoffen.'

'Mark heeft wel gelijk,' mengt zich iemand anders in het gesprek. Een grote man met een dikke buik en een grijze hangsnor. Hij stelt zich ook voor als politicus en milieuspecialist, maar van een andere partij. 'Maar dat kan niet nu eenmaal niet in één keer. We moeten realistisch blijven. We hebben olie en chemie nodig.' Mark reageert geprikkeld. 'Dat realisme van u, is dat dan ook het realisme van die arme olievogels? En van de zeehonden? En de vissen? Dat ze creperen in de olie?' Mark zet zijn wijsvinger op de borst van de politicus. 'U moet ervoor zorgen dat er maatregelen genomen worden. Ook internationaal. Waar hebben we anders een gemeenschappelijk Europa voor?'

In zijn ooghoek ziet Mark dat Geke van der Wal hem wenkt. 'Ik heb telefoon voor je,' roept ze. Ze reikt hem de mobiel aan. Mark doet een stap opzij uit de drukte en houdt de mobiel aan zijn oor. Het is de burgemeester van Middelburg.

'Met Zieneman, ik zit in het crisisteam. Wij luisterden daarnet naar het nieuws op de radio over jullie betoging. Ik wil je graag gelukwensen met je succesvolle actie in Den Haag. En ik heb een mededeling voor je die je waarschijnlijk graag hoort. Wij hebben zojuist besloten de firma Petrotec aan te klagen wegens vervuiling van onze stranden.'

'Dus Petrotec komt voor de rechter?'

'Ga daar maar van uit.'

'En als u verliest?'

'Dan zien we wel weer verder. De minister van milieu heeft ons gezegd dat zij volledig achter ons staat. Daar heeft jullie actie ook aan bijgedragen. Ook de regering wil het nu wel eens hard spelen en steunt een proces tegen Petrotec. De minister zal vandaag ook nog aankondigen dat zij wettelijke maatregelen zal treffen om dit soort rampen te voorkomen en olie- en giflozingen scherper te controleren en de verantwoordelijken te vervolgen.' Mark hapt even naar lucht. 'Dat gaat ineens erg snel.' mompelt hij. 'Nog wat Mark,' hoort hij de burgemeester in de telefoon zeggen, 'Ik wil nog mijn excuses aan je aanbieden voor mijn gedrag eerder deze week. Het spijt me echt, maar ik kon niet veel anders. Het belang voor Walcheren was erg groot. Jullie actie kwam zo snel en verrassend, dat we er niet goed op hebben gereageerd. Zie het ook maar zo: jullie actie heeft ons aan het denken gezet.' Mark snuift. Hij weet niet direct iets te antwoorden. De burgemeester geeft hem geen tijd. 'Ik nodig je graag uit voor een kop koffie en een goed gesprek. In het stadhuis. En dan zonder bezetting graag.' De laatste woorden spreekt hij lachend uit.

Mark geeft Geke haar mobiel weer terug en wordt direct weer bevraagd door journalisten en politici. Tegen de middag wordt het rustiger op het plein. Het hoogtepunt van de actie is voorbij. De mensen gaan naar hun werk, de politici zijn naar binnen en de journalisten zijn op weg naar ander nieuws. Mark voelt zich ondanks de grote overwinning nu weer erg leeg, Hij zoekt Donya op, die steeds dicht in zijn buurt is gebleven zonder dat hij daar erg in had. Hij slaat zijn arm om haar heen en drukt zich dicht tegen haar aan. Zijn monsterpak zit hem vervelend in de weg. Het kriebelt en het belet hem de warmte van Donya te voelen. Zo lopen ze met de groep terug naar het station. Onderweg in de trein licht hij de groep in over het voorstel van Dirk Bouter om een documentaire film met de groep te maken, op basis van de demonstraties.

'Goed idee,' zegt Jan Joustra direct. Mark verbaast zich over zijn enthousiaste toon. Jan Joustra is blij dat de actie goed en zonder narigheid is verlopen. Het is een pak van zijn hart. Het bericht van de burgemeester neemt ook een hoop kou uit de lucht.

Na het gezamenlijk eten in het atelier van Frida Malakovic wordt nog wat nagepraat. Frida Malakovic is bereid haar atelier een tijdje af te staan als studioruimte voor het opnemen van de docufilm die Dirk Bouter met de klas wil maken. Daarna voelt Mark sterke behoefte om even alleen te zijn. Hij sniekt weg uit het atelier, de duinweg op naar het strand. Het is nog niet donker. De avond valt langzaam. De geelrode gloed van de ondergaande zon strijkt over de zee en het strand. De bulldozers en vrachtwagens staan stil tegen de duinrand. Er hangt een kalme rust op het strand. Een paar grote zilvermeeuwen scheren laag over het water. Aan de kop van de strekdammen schuimt het water van de branding weer helder wit. De zee voert gelukkig geen nieuwe olie meer aan. Deze ramp zal wel worden overwonnen. Het wachten is op de volgende. Of niet.

Het licht in de aula gaat aan. De film op de achterwand van de aula is aan het eind gekomen.

Mark staat naar de muur te staren waar de film nu de aftiteling laat zien met de mensen die aan 'De Olieramp' hebben meegewerkt. Het zijn er velen, hijzelf en zijn groep, Donya, Jan Joustra en Geke van der Wal, mensen van het vogelopvangcentrum, vissers, biologen, maar ook politici, politiemensen en mensen van de olieverwerkende industrie. Er klinkt applaus.

Mark moet iets zeggen. Even slaat hij dicht. Droge mond, trillende knieën. Dan ziet tussen de hoofden het lieve gezicht van Donya. Dan begint hij te vertellen hoe het allemaal begon. Op de veerboot van Breskens naar Vlissingen, toen hij naast zijn vriend Peter de meeuwen voerden. Er leek toen nog niets aan de hand. Nu heeft hij een grote actie achter de rug, landelijke en zelfs internationale bekendheid, een film en niet in de laatste plaats: een mooie en lieve vriendin, die hem nu vanonder haar hagelwitte en charmante hoofddoekje heel lief aankijkt.